Merveilles
au pays d'Alice

Du même auteur

L'amour est enfant de bohème, roman (épuisé), Éditions Libre Expression, 1988

Drôle d'Halloween, recueil de nouvelles — à paraître, automne 1992, Éditions Pierre Tisseyre, collection Conquêtes

CLÉMENT FONTAINE

MERVEILLES AU PAYS D'ALICE

ROMAN

ÉDITIONS PIERRE TISSEYRE
8925, boulevard Saint-Laurent — Montréal, H2N 1M5

Dépôt légal: 1er trimestre 1992
Bibliothèque nationale du Canada
Bibliothèque nationale du Québec

Données de catalogage avant publication (Canada)

Fontaine, Clément

Merveilles au pays d'Alice

(Collection conquêtes).
Pour les jeunes.

ISBN 02-89051-460-9

I. Titre. II. Collection.

PS8561.O549M47 1992   jC843' .54   C91-090893-1
PS9561.O549M47 1992
PZ23.F66Me 1992

Maquette de la couverture :
Le Groupe Flexidée

Illustration de la couverture :
Louis Paradis

Révision :
Marie-Hélène Gauthier

1234567890IML98765432
10652

Copyright © Ottawa, Canada, 1992
Éditions Pierre Tisseyre
ISBN-2-89051-460-9

À Lorraine Brûlé et Michel Savignac

« ... Beaucoup de choses restent à découvrir, que nos limites actuelles considèrent impossibles. Nos concepts d'espace et de temps n'ont qu'une valeur approximative. »

Carl Jung
Souvenirs, rêves, réflexions

Avant-propos

La carrière de rédacteur à la pige réserve parfois d'agréables surprises : une inconnue est venue un beau matin me faire cadeau du récit que vous allez lire. Elle a semblé tomber en droite ligne du ciel dans ma petite vie trop terre à terre, à la manière du singulier personnage qui constitue le pivot de sa propre aventure.

Une connaissance commune l'avait par bonheur orientée vers moi. «On m'a dit que vous vous intéressiez aux phénomènes insolites et que vous saviez tenir une plume», commença-t-elle avec prudence. Elle n'allait plus s'arrêter durant des heures, épuisant toute ma réserve de cassettes vierges. Elle me passa la commande du manuscrit et m'autorisa à le faire publier, à la condition de préserver son anonymat.

Son histoire apparaîtra comme de la pure fantaisie aux yeux de certains; en ce qui me concerne, les accents de sincérité avec lesquels elle me fut contée, ainsi que le témoignage de la psychologue dont il sera question plus loin en garantissent l'authenticité.

Je me suis attelé à la tâche avec un plaisir qui n'alla pas sans peine. Il est plus difficile qu'on ne le croit généralement de coucher sur papier une longue narration recueillie au magnétophone, même lorsque la locutrice possède un langage plutôt soigné, avec juste ce qu'il faut de vivacité et d'expressions imagées. J'ai tenté de sauvegarder la saveur et la ferveur de ses propos en éliminant les répétitions, les éléments moins utiles. J'ai ordonné les faits d'une manière logique, et non pas forcément chronologique, afin d'aiguiser l'intérêt du lecteur.

Pour remédier aux insuffisances de la mémoire, j'ai complété l'information véhiculée dans certains dialogues en consultant des ouvrages qui traitent des sujets abordés.

Mon travail consista d'abord à mettre en forme une matière première aussi riche que complexe (à ne pas confondre avec compliquée!).

Dénuée d'ambition littéraire, la narratrice m'a permis d'endosser la paternité de ce petit livre. J'espère de tout cœur qu'il est à la hauteur de ses attentes.

1

Le royaume de lumière

Célia et moi avions été fortement impression-
nées par le passage de monsieur Oddsong sous
notre toit, au début de l'été, et nous l'évoquions
souvent avec nostalgie. Mais nous serions
parvenues à l'oublier tôt ou tard s'il n'y avait pas
eu l'accident à la piscine, fin août. Ce drame, qui
aurait pu se terminer en catastrophe, raviva notre
intérêt envers le personnage en question tout en
accentuant le halo de mystère qui l'entourait.

Je me baignais donc en compagnie de ma
fille de dix ans à la piscine municipale
d'Ottawa, située près de notre domicile, dans le
quartier Sandy Hill. La nage est un exercice
salutaire que je ne pratique plus assez souvent
en ma qualité de citadine sédentaire. Après une
période de réchauffement laborieuse, j'étais

fière de pouvoir effectuer une longueur complète, sans interruption, dans le couloir réservé à cet effet. Quelques messieurs plus en forme me considéraient avec une bienveillance amusée derrière leurs lunettes de plongée. Leur manège ne me laissait pas indifférente, je dois l'avouer.

Profitant d'un relâchement de ma vigilance, Célia a quitté la section réservée aux enfants et aux parents qui, sagement, préfèrent, barboter dans leur sillage. Le jeune sauveteur de service (j'allais l'apprendre plus tard) était beaucoup trop occupé à flirter avec une admiratrice pour surveiller ma fille comme il aurait dû. Celle-ci faisait la planche au milieu de la piscine, quand un groupe d'adolescents se tiraillant à proximité — ou un plongeur, on ne sait trop — l'a heurtée à la tête sans s'en rendre compte. À moitié assommée, mon enfant a sombré dans l'eau agitée. Ses tentatives pour rejoindre le bord de la piscine ou s'accrocher au cordon de séparation muni de flotteurs sont passées inaperçues dans le brouhaha général. Moi-même, je continuais de «crawler» dans une parfaite insouciance pendant les quelques minutes fatidiques où elle s'est débattue avant de perdre connaissance! Quelqu'un a fini par se buter au petit corps inerte et l'alerte a déclenché le branle-bas de sauvetage.

Le jeune *life saver* avait par contre des dispositions pour la respiration artificielle. Il a plaqué sa jolie gueule de dragueur sur les lèvres bleuies de Célia, toute de pureté et d'innocence. (Louée soit l'action antiseptique du chlore déversé dans les piscines publiques!)

Je n'aurais pu survivre longtemps à la douleur et au sentiment de culpabilité occasionnés par la perte du seul être cher qui me restait au monde. J'étais prête à pardonner au fautif sa négligence, à ne me plaindre de rien à qui que ce soit, à condition qu'il me ramène ma pichounette saine et sauve, comme neuve, en possession de toutes ses facultés. Y compris celle de m'exaspérer à l'occasion avec ses espiègleries et ses questions.

La réussite de l'opération résurrection fut d'autant plus méritoire que Célia avait recommencé à faire de l'asthme dernièrement. Avant même d'ouvrir les yeux, elle s'est mise à cracher et à tousser. Dans son désir de se racheter, le sauveteur multipliait les égards en vrai petit saint-bernard, frictionnait la rescapée avec une immense serviette rose qui appartenait à sa compagne repentante: «Allez, reculez, tout le monde; elle a besoin d'air frais... Voulez-vous qu'on appelle un médecin de l'urgence, Madame? Ça ne sera peut-être pas nécessaire. Regardez comme elle récupère vite...»

Le visage de Célia reprenait en effet ses couleurs. Je l'ai soulevée dans mes bras en bredouillant des incohérences de mère éplorée. Elle m'a d'abord regardée avec une expression égarée, suivie d'une intense stupeur, comme si c'était moi qui revenais de loin. Elle a retrouvé le sourire et la mémoire pour m'appeler par tous

11

mes surnoms attribués depuis sa petite enfance. Elle récupérait à merveille, oui, et ramenait en prime un fragment de l'au-delà qui allait s'avérer des plus troublants.

— Là-haut, au ciel, j'ai revu monsieur Oddsong, tu sais! me déclara-t-elle avec un naturel déconcertant.

Au ciel? Monsieur Oddsong? Devant mon incrédulité, elle a répété plus fort, avec la mine jubilante d'une messagère de la bonne nouvelle:

— Je te le dis, c'est vrai: monsieur Oddsong, papa aussi, et d'autres encore qui sont censés être morts. Je les ai vus et ils m'ont parlé!

Notre pauvre Stephen était décédé depuis plus d'un an déjà. Quant à Charles Oddsong, il avait disparu sans préavis il y avait plus de deux mois. Célia semblait pourtant croire dur comme fer à la réalité de ses retrouvailles. Les séquelles du choc à la tête, me disais-je.

Ce n'était pas d'un médecin ordinaire que nous risquions d'avoir besoin advenant la persistance de telles «visions» chez ma petite fille... Existait-il seulement à Ottawa des spécialistes pour traiter ce genre de problème?

Telle était la préoccupation qui tempérait ma joie pendant que Célia, rayonnante dans son drapé rose, achevait de récupérer sur un banc autour duquel se pressait une foule de curieux.

2

Bienvenue au *Cozy Guests House*

Monsieur Oddsong vint louer une chambre la première semaine de juin, avant la période d'affluence touristique. J'appris avec fierté qu'il avait choisi mon *bed and breakfast* sur la foi de la recommandation de la préposée aux renseignements de l'Association des chambreurs de la capitale. À la suite du décès de Stephen, j'avais décidé de rentabiliser ainsi le second étage de notre demeure de style victorien et mon bon travail de tenancière commençait à porter des fruits. Il faut dire que le *Cozy Guests House* a du cachet. Il est situé dans une rue tranquille et foisonnante d'arbres magnifiques, à quelques minutes de marche du Parlement, du canal Rideau, du nouveau centre commercial et de plusieurs autres attractions.

Je fus d'abord frappée par l'habillement austère et démodé du voyageur. La couleur sombre du complet et du haut-de-forme — qu'il souleva avec galanterie — accentuait la pâleur de son teint. Il tenait une paire de gants souples d'une main et, de l'autre, une valise d'un modèle archaïque. Mais, à l'exemple de tous les autres accessoires entourant sa personne, cette valise ne portait pas de trace d'usure excessive ni de relent de boules à mites. L'idée m'effleura un instant qu'il s'était costumé en vue d'un bal au Château Laurier!

Il choisit la seule chambre comportant un lit à une place, la plus modeste des trois. Non pas que mes tarifs étaient exagérés, eut-il la délicatesse de préciser, mais il lui paraissait «malséant de prendre davantage de place que sa condition de vacancier célibataire ne le nécessitait».

Il s'exprimait volontiers de cette manière un peu précieuse, avec des mots que je qualifierais de surannés, et avec un accent on ne peut plus British. À tel point qu'au début, j'ai eu de la difficulté à le comprendre, moi qui passe pour bilingue. Précisons que si la diction du nouveau venu était excellente, son débit comportait des hésitations, des répétitions déplacées qui frisaient parfois le bégaiement et que j'attribuai d'abord à la nervosité d'un premier contact en sol étranger.

Charles Oddsong me confirma qu'il venait d'Angleterre, d'Oxford plus précisément. Il enseignait les mathématiques dans un collège universitaire et occupait le poste de révérend au sein de l'Église anglicane. Bien que la tradition cléricale soit solidement ancrée dans sa famille, il ne se destinait pas à la prêtrise dans un avenir prévisible et s'abstenait de prêcher. Aussi préférait-il se faire appeler tout simplement «monsieur».

Il s'agissait visiblement d'un homme très réservé dans ses manières et son discours. Je n'aurais pas été en mesure de recueillir d'emblée autant de renseignements sur son compte s'il n'y avait pas eu la nécessité de l'inscription au registre. Alors que, d'habitude, mes «invités» ne suscitent qu'un minimum de curiosité chez moi, je fus tout de suite intriguée par celui-là. J'espérais avoir bientôt l'occasion d'entamer une véritable conversation avec lui.

L'essentiel de son charme ne résidait pas dans son physique, au demeurant agréable dans le genre intellectuel: la jeune quarantaine, une minceur ascétique, une chevelure longue et ondulée aux tempes mais dégagée au sommet du front bombé, des yeux légèrement cernés où perçait une vive intelligence. Les traits tout en finesse de son visage glabre tiraient dans l'ensemble vers le bas, en forme d'accent grave, dans une sorte de moue aristocratique à la limite de l'expression dédaigneuse mais compensée par un perpétuel demi-sourire empreint de bonhomie. Un vrai gentleman en somme, comme il ne s'en fait plus.

○

Pendant que Charles Oddsong s'installait dans sa chambrette, je suis allée faire des courses au marché public qui, lui aussi, se trouve à proximité du *Cozy Guests House*. (Ce n'est pas un hasard si ce secteur de la ville a vu se multiplier les bons restaurants et les *bed and breakfast* ces dernières années.) J'ai pour politique de gâter mes clients lors du premier déjeuner en leur servant, au lieu des sempiternels œufs flanqués de toasts à la confiture, une coupe de fruits frais, tels que des bleuets et du melon miel, des croissants chauds, du beurre à volonté et un plein pot de café-filtre fumant. Je soigne tout autant le menu le matin de leur départ afin de laisser une meilleure impression. Monsieur Oddsong avait déclaré ignorer combien de temps il passerait sous mon toit; nul doute que sa décision dépendrait en bonne partie de la nourriture et du service offerts.

Au retour, je croisai sur le trottoir mon nouveau chambreur qui avait revêtu un pantalon blanc, laissé tomber la veste et troqué le haut-de-forme contre un chapeau de paille. Il était pressé d'explorer les environs, me lança-t-il au passage, et on voyait, à son air réjoui, à son ample foulée, que la fièvre de l'explorateur s'était effectivement emparée de sa personne.

Je ne devais plus jamais le revoir dans son costume noir initial et j'en fus soulagée pour lui: indépendamment de l'aspect esthétique, ce devait être très inconfortable à cause de la chaude température que nous connaissions cet été-là.

J'ai téléphoné à Sally, notre femme de ménage, pour lui demander de venir dans l'après-midi du lendemain. Mes finances me permettent heureusement de confier à une spécialiste l'entretien domestique, du premier comme du second étage. C'est de loin la corvée la plus déplaisante à mes yeux. Je n'osais m'en plaindre du vivant de Stephen.

Mon mari était officier-pilote dans l'Armée et il a péri aux commandes d'un prototype d'avion de chasse de conception canadienne, au cours d'un vol d'essai. Le ministère de la Défense m'a accordé une généreuse pension en guise de consolation, en plus d'une décoration posthume. Cela aurait suffi à nous faire vivre, ma fille et moi, s'il n'y avait pas eu des dettes accumulées par le défunt. Aux revenus provenant de la location des chambres s'ajoutaient depuis peu ceux que me procurait un boulot de traductrice à la pige. J'arrivais même à amasser quelques économies en prévision d'un voyage outre-mer. Mon seul client était — et demeure — le Secrétariat d'État, et les textes à traduire portent exclusivement sur le transport aérien. Stephen me parlait si souvent d'avions, sa passion

17

depuis l'enfance, que j'ai fini par acquérir une compétence certaine dans ce domaine, presque malgré moi! Ce travail occasionnel à domicile me permet aussi d'exercer ma matière grise. J'essaie de demeurer aussi active que possible au lieu de me cantonner dans mon rôle de veuve de décoré et de parent unique.

Jusque-là, je n'avais eu aucune complication avec mes chambreurs. Ils se comportaient avec civisme, sans causer de bris ni de dégâts excessifs. Rien de précieux n'avait été dérobé dans la maison. Je coulais des jours presque heureux avec Célia, qui se remettait d'autant plus vite de la perte de son papa que celui-ci n'avait pu être présent à ses côtés les derniers temps. Il était tellement accaparé par ses fonctions «d'une importance capitale pour la nation»! J'entretenais le vague désir de refaire ma vie avec un autre homme, si jamais il s'en présentait un de convenable et de vraiment disponible, mais la pensée que l'oiseau rare se trouverait parmi mes «invités» de l'étage supérieur ne m'avait pas encore effleuré l'esprit. Par définition, ils n'étaient que de passage.

Tout a changé avec l'arrivée de Charles L. Oddsong, directement d'Oxford.

○

Il rentra tard le premier soir. C'était à croire que le décalage horaire ne l'affectait nullement.

Il n'a pas claqué la porte extérieure, mais j'ai entendu un léger bruit dans l'escalier. Célia venait de se coucher et je regardais le bulletin de nouvelles de dix heures à la télévision. J'ai une raison particulière de m'en souvenir, car on venait d'annoncer le décès d'un autre pilote de l'Armée canadienne à la suite de l'écrasement d'un appareil supersonique du même type que celui qui avait emporté mon mari. Erreur de conception ou de pilotage? On ignorait la cause exacte de la catastrophe. Dégoûtée, j'ai éteint le téléviseur pour suivre le déplacement de monsieur Oddsong au-dessus de ma tête. Les lames du parquet ont craqué doucement de sa chambre jusqu'à la salle de bains. Je l'imaginais en train de se déshabiller avec des gestes posés. Il était sûrement du genre à changer de chaussettes tous les jours et à plier son pantalon sur le dossier d'une chaise. Avait-il songé à apporter une robe de chambre ou un peignoir dans son unique valise? Les hommes qui voyagent seuls oublient souvent ce genre d'articles.

Je suis restée au salon à l'épier par désœuvrement. Le temps était lourd; nous avions battu un autre record de chaleur cette journée-là et je n'avais pas le goût d'aller au lit. Vers minuit, un silence total m'incita à croire qu'il s'était endormi.

Quand je suis sortie de la douche avec l'intention de lire un peu, je l'ai à nouveau entendu qui marchait, cette fois en direction de la grande chambre située au bout du couloir et qui donne sur le jardin. Je me demandais ce qui pouvait bien l'attirer là à pareille heure. Voulait-il examiner la décoration intérieure ou simplement ouvrir une fenêtre pour créer un courant d'air? Devant ce mystère anodin, je me suis surprise à frémir dans mon trop grand lit, telle l'héroïne du roman policier qui me tombait des mains. Monsieur Oddsong n'a pas tardé à réintégrer sa chambre à pas feutrés, sur la pointe des pieds, aurait-on dit. Il a refermé sa porte avec la même précaution, mais en pleine nuit, les cloisons font terriblement écho dans ces vieilles demeures.

Je suis allée voir du côté de Célia qui, elle, dormait en laissant sa porte de chambre ouverte, comme sa bouche en cœur d'où émanait le lent sifflement d'une respiration laborieuse. Ce maudit asthme, seule tare connue chez mon enfant… Tous ces spécialistes que j'avais consultés en vain depuis six mois! On avançait l'hypothèse d'une origine psychosomatique: c'était sa manière de porter le deuil de son père et d'indiquer un manque de présence masculine. Elle ne se plaignait jamais pourtant. Je lui ai caressé les cheveux et le front; ce contact m'a apaisée suffisamment pour me laisser gagner à mon tour par le sommeil.

Un sommeil agité, par contre, traversé de visions d'acrobaties aériennes suicidaires et de sinistres cérémonies de remise de décorations militaires.

○

Tôt le matin, comme convenu, je suis montée porter le petit déjeuner à monsieur Oddsong. Je préfère procéder de la sorte plutôt que d'accueillir des étrangers dans l'intimité de ma salle à manger. En général, les gens raffolent d'un petit déjeuner au lit. Mais je ne vais pas jusqu'à le leur servir dans leur chambre. Je cogne à la porte, je souhaite le bonjour en confirmant l'heure et, le cas échéant, les bonnes prévisions de la météo, puis je m'éclipse après avoir déposé le plateau sur un guéridon près du seuil. Cela évite des situations embarrassantes, l'exhibition de tenues négligées.

D'ordinaire, en redescendant l'escalier, j'entends une porte se déverrouiller et s'ouvrir sur un des occupants, qui s'empare de la nourriture avec une exclamation ou un grognement de satisfaction.

Dans le cas de monsieur Oddsong, il n'y eut aucune manifestation de ce genre.

Quand, une heure plus tard, au retour d'une marche d'accompagnement de Célia jusqu'à son école, je suis remontée chercher le plateau, j'ai constaté que mon nouveau chambreur avait consommé uniquement la coupe de fruits frais et une tranche de fromage. Ou bien monsieur Oddsong souffrait d'anorexie, ou bien il était

21

allé déjeuner à sa convenance au restaurant. En bon Anglo-Saxon, discret et diplomate, il était sorti sans me préciser de vive voix ce qui clochait. En jetant un coup d'œil dans sa chambre, j'ai aperçu sur la commode le ventilateur qui se trouve normalement dans la grande chambre du fond. Voilà qui expliquait l'incursion de la nuit précédente. J'aurais dû moi-même penser à le lui offrir puisqu'il était inutilisé. Le lit était fait et une note manuscrite se dressait sur l'oreiller: *Je suis disposé à vous payer un léger supplément pour l'appareil emprunté. Serait-il possible par ailleurs d'avoir au déjeuner un bol de gruau nature avec une tranche de pain complet, une orange et du thé? Merci.* (traduction libre)

British jusqu'au bout des ongles, le professeur. Ses exigences étaient strictes mais faciles à satisfaire, contrairement, par exemple, à ce cyclo-sportif en provenance de Vancouver qui avait réclamé à son lever un steak avec haricots verts et pomme de terre au four!

J'ai trouvé un peu étrange, sans plus, le fait que monsieur Oddsong ait utilisé le mot *device* au lieu d'*electric fan* dans sa note. Il était évidemment inconcevable qu'un homme aussi instruit puisse ignorer le nom exact d'un objet si banal. Par la suite, je devais mettre plusieurs autres de ces lacunes de vocabulaire sur le compte de sa nature originale.

Au cours de l'après-midi, je me suis changé les idées en m'attaquant à une traduction sur les mesures de sécurité que le gouvernement venait de mettre en place dans les aéroports internationaux dans le but de déjouer les terroristes avec leurs colis piégés. J'ai aussi jasé avec la femme de ménage, en passe de devenir une bonne amie depuis la mort de Stephen. Pendant tout ce temps, Charles Oddsong continuait à me trotter dans la tête, comme il devait trotter, au sens propre, dans les rues de notre ville.

En fin d'après-midi, j'ai aidé Célia à faire ses devoirs et à préparer ses examens de fin d'année. Je lui accorde toujours une heure de détente dans le jardin à son retour de l'école; nous nous attablons ensuite avec ses livres et ses cahiers de classe. Comme ma fille étudie en anglais, je m'efforce de lui parler en français à la maison, en toutes circonstances. Ça donne parfois lieu à de curieux échanges, quand il s'agit par exemple de la questionner sur une leçon déjà donnée en anglais par son prof. Elle est portée à s'exprimer dans la langue de la majorité; je m'entête à lui répondre en français. Je suis québécoise de souche, j'ai grandi sur l'autre rive de l'Outaouais, et je tiens à ce que Célia acquière une culture française dont elle pourra tirer profit dans ce fichu pays.

Célia m'informa que son institutrice était tombée malade. Sa remplaçante était très gentille mais incommodait beaucoup les élèves de la première rangée avec ses postillons, précisa-t-elle, avec la franchise impitoyable de ses dix ans.

— À propos d'enseignant, ai-je glissé, depuis hier, nous en avons un sous notre toit. Et d'un genre bien particulier.

Célia a demandé des détails. Je lui ai parlé avec enthousiasme de notre nouveau chambreur, en même temps que de mon hésitation à franchir la distance qu'il semblait vouloir conserver dans ses rapports avec autrui. Passant sa main devant son minois grimaçant, ma fille s'est inquiétée de savoir si ce professeur-là postillonnait et à quoi il ressemblait...

Jamais auparavant elle ne s'était intéressée de près ou de loin à l'un ou l'autre des étrangers de passage dans notre maison. Elle avait conscience que seules des considérations financières justifiaient leur présence et que je n'attendais de sa part qu'une politesse élémentaire à leur endroit. Par conséquent, elle leur adressait un petit «allô» bien neutre et plus ennuyé qu'intimidé lorsque l'un d'eux paraissait dans le vestibule, au moment de gagner sa chambre ou de régler les formalités.

Si son attitude a été différente dans ce cas-là, c'est sans doute parce que je lui avais dès le départ communiqué ma curiosité à l'égard de monsieur Oddsong. Les conséquences allaient être aussi importantes qu'inattendues.

○

Dans la soirée, un couple de Toronto s'était amené avec l'intention de se perdre pendant quarante-huit heures dans nos innombrables musées. Le lendemain, voyant que j'en avais plein les bras avec les déjeuners, Célia s'offrit à monter le plateau de monsieur Oddsong. «Ma pichounette devient assez grande pour me donner un coup de main», ai-je pensé avec satisfaction et fierté, tout en prenant un coup de vieux par la bande.

En revenant de servir le couple, j'ai croisé Célia qui portait son fardeau en faisant très attention, sur mes recommandations, de ne pas s'enfarger dans la moquette recouvrant les marches.

— C'est dégueu comme *breakfast*, laissa-t-elle échapper en reniflant le bol de gruau.

Un mets que je n'avais jamais réussi à lui faire goûter de toute sa sainte vie d'enfant gâtée.

J'ai vaqué à d'autres tâches à la cuisine. J'ai eu le temps de me maquiller un brin. Curieusement, Célia ne redescendait pas. Je ne l'avais pas entendue en tout cas. Elle ne pouvait être sortie sans me dire au revoir, à l'encontre des règles de bienséance instaurées dans ce foyer devenu monoparental. Elle n'était pas non plus rendue dans la salle de bains.

Je suis montée pour voir ce qui la retenait.

Le plateau ne reposait pas sur le guéridon et la porte de la petite chambre était grande ouverte. Ma fille se tenait bien droite sur une méchante chaise de bureau, en face de l'occupant, lui, assis sur son lit et tiré à quatre épingles. Elle buvait du regard les paroles feutrées de cet étranger qui n'était plus un inconnu. En fait, leur tête-à-tête baignait dans un climat de connivence si intense que je me suis sentie un peu gênée de mon intrusion.

Le plateau se trouvait sur le minuscule bureau. Ma fille avait à la main une cuillère contenant les restes d'une substance jugée répugnante quelques secondes plus tôt.

— Monsieur Oddsong a insisté pour m'y faire goûter et je ne trouve pas ça si mauvais, tout compte fait, expliqua-t-elle spontanément devant mon regard interrogateur.

— Chère Madame, a enchaîné le chambreur avec chaleur et conviction, quelle *adorable* petite fille vous avez! J'ai été absolument *ravi* de faire sa connaissance. Quelle bonne idée vous avez eue de me l'envoyer ce matin! En entendant sa voix me claironner un beau bonjour, je n'ai pu résister au désir d'ouvrir.

Prunelles étincelantes et jambes ballantes, Célia savourait le compliment. Elle s'enorgueillissait d'avoir réussi ce que sa maman s'était refusée à entreprendre, par excès de discrétion: attirer l'attention du voyageur, le mettre en confiance, faire fondre sa froideur apparente.

Une barrière venait de tomber et j'entendais bien en profiter pour faire à mon tour plus ample connaissance avec Charles Oddsong.

3

Un goût d'éternité
qui persiste

Cette expression de plaisir et de fierté que la présence de monsieur Oddsong avait amenée sur le visage de ma fille dès leur première rencontre était revenue en force après qu'elle eut failli se noyer à la piscine.

Non seulement s'en était-elle tirée indemne, à l'exception d'une belle «prune» à la tête, mais son asthme semblait s'être résorbé.

— C'est parce que j'ai revu monsieur Oddsong, me réaffirma Célia plusieurs heures après l'accident. Tu sais bien qu'il a le don de me soulager!

Je m'étais bien gardée de revenir sur le sujet, espérant qu'il s'agissait d'une lubie passagère. Elle ne voulait pas démordre de sa conviction et me la resservait à la moindre occasion: des êtres surnaturels lui étaient apparus durant les quelques minutes où son état d'inconscience l'avait maintenue entre la vie et la mort.

Selon son dire, il y avait eu tout d'abord un noir total, bientôt percé par un cercle de lumière lointain, d'une blancheur extraordinaire. Cette lumière «l'aspirait» à l'intérieur d'un long tunnel, sur les parois duquel défilaient, comme un film en accéléré, les images les plus marquantes de sa brève existence. D'un côté se déroulaient les bonnes actions et de l'autre, les mauvaises — beaucoup moins nombreuses heureusement. Par exemple, mentionna-t-elle avec une bouffée de honte, la fois où elle avait dirigé le tuyau d'arrosage vers un pauvre chat efflanqué venu chercher un peu d'ombre ou de nourriture dans notre cour, en sachant pertinemment que la gent féline déteste les douches improvisées. (Plus jamais on n'avait vu le matou errer dans le voisinage, à la grande satisfaction des adeptes du jardinage; j'avais néanmoins fait des remontrances à ma «méchante» fille.)

Arrivée au bout du tunnel, «dans la clarté aveuglante qui ne faisait pas mal aux yeux», Célia avait ressenti un immense bonheur. Aucun doute possible dans son esprit, elle se trouvait au seuil du paradis. Pour une fillette au vocabulaire forcément limité, les mots s'avéraient impuissants à décrire cette zone de splendeurs inédites. Des êtres familiers et amicaux s'étaient rassemblés pour l'accueillir à bras ouverts — une expression purement symbolique, puisqu'elle savait que dans ce monde-là, il n'y avait nul besoin de contact charnel. Seuls les sens de la vue et de l'ouïe subsistaient, magnifiés à l'infini. L'essentiel des échanges reposaient sur une formidable énergie qui permettait, entre autres prodiges inconnus sur terre, de lire directement les pensées!

Parmi les entités familiales réunies autour d'elle, Célia avait reconnu sa tante Suzie, sa chère marraine, ma sœur aînée emportée il y a deux ans par une leucémie. Une véritable martyre.

— Je l'ai vue comme elle était avant sa maladie, a précisé la rescapée, parce que tout le monde là-haut paraît à son plus beau et à son meilleur.

— Et Stephen... Ne m'as-tu pas dit qu'il était présent aussi?

— Oui, dans son uniforme de pilote, mais il avait l'air perdu et surpris de se trouver là. Je ne me souviens pas au juste de ce qu'il m'a dit. Ça ne devait pas être très important. Il est reparti presque aussitôt. Il n'avait pas beaucoup de temps pour me parler, je pense.

Voilà qui ne différait guère de son comportement habituel à la maison, de son vivant. Toujours pressé, passant comme un coup de vent... Célia s'amusait-elle à me mystifier? Si tel était le cas, je lui reconnaissais un talent de comédienne en herbe. Elle a poursuivi, le plus sérieusement du monde:

— C'est monsieur Oddsong qui s'est le plus occupé de moi. Il était supercontent de me revoir. Et moi donc! On s'est échangé des belles pensées pendant un bon bout de temps, puis une voix... une voix majestueuse s'est adressée à moi. Elle sortait de la lumière extraordinaire et, en même temps, elle semblait provenir de partout. C'était Dieu, j'en suis sûre.

— Une voix, dis-tu? Alors dans quelle langue Dieu s'est-Il adressé à toi? En français ou en anglais? demandai-je malicieusement, en faisant allusion aux tiraillements linguistiques qui affectaient notre pays et déteignaient à l'occasion sur nos relations.

Ma fille a souri sans prendre la peine de répondre. Bien sûr, le Tout-Puissant S'exprimait dans toutes les langues en même temps, en parfait polyglotte. Et quiconque avait été touché par Sa grâce s'élevait au-dessus de n'importe quel sarcasme ou autre manifestation d'incrédulité de la part de l'entourage terrestre...

— Je voulais rester au Ciel, avec un C majuscule, insista Célia. Mais Il m'a demandé de reprendre mon corps. Ce n'était pas encore le moment de partir pour moi; j'avais d'autres choses à faire. Je ne voulais pas obéir au début. Ce qui m'a convaincue, c'est de voir à quel point ma mort te causait de la peine!

— Comment voyais-tu que je souffrais?

— De là-haut, je pouvais suivre tout ce qui se passait dans la piscine. Tu te sentais archi-coupable d'avoir cessé de me surveiller. Tu étais terriblement fâchée aussi contre le sauveteur qui essayait de me réanimer par le bouche-à-bouche. Si je n'étais pas revenue, tu aurais complètement capoté. J'ai dit au revoir à monsieur Oddsong et à tante Suzie par amour pour toi...

Quel parent ne se serait pas senti à la fois comblé et bouleversé par une telle déclaration? J'ai versé des larmes d'attendrissement en étreignant ma petite fille. J'avais acquis la conviction qu'elle ne mentait pas. Elle croyait sincèrement avoir vécu ce qui ne pouvait être que le fruit de son imagination.

Elle avait dû être impressionnée par quelque reportage télévisé sur les prétendue expériences de «désincarnation» rapportées par des personnes ayant échappé de justesse à la mort. Ou quelqu'un à l'école lui en avait parlé. Plusieurs publications récentes traitaient de ce sujet. Quant à sa «vision» du traitement administré par le sauveteur afin de rétablir sa respiration, elle s'expliquait facilement par le compte rendu qui lui en avait été fait par de nombreux témoins. Le décès de sa tante et de son père, le départ tant regretté d'Oddsong constituaient autant de drames récents qui ne demandaient qu'à resurgir dans une situation éprouvante, chargée d'émotion. En somme, je préférais attribuer l'expérience de ma fille à une extravagante association d'images mentales, me refusant à croire aux phénomènes dits surnaturels.

Pas question de contrarier Célia en rejetant en bloc son joli vidéoclip. Je comptais sur le temps pour l'effacer. J'ai seulement formulé une remarque pour lui faire prendre conscience d'une implication douloureuse et ébranler ainsi ses convictions:

— Suivant la logique de ton histoire, monsieur Oddsong doit obligatoirement être mort à l'heure qu'il est. Ça veut dire que nous ne le reverrons jamais. Ne trouves-tu pas cette idée attristante?

— Pas du tout, soutint-elle. Il devait avoir la permission du Bon Dieu de passer de l'autre bord, et d'y rester! Et puis... pourquoi dis-tu que nous ne le reverrons jamais?

○

Célia ne manifesta aucune phobie de l'eau consécutive à son accident. Dès le lendemain soir, elle était prête à retourner se baigner. Je m'y opposai farouchement. Elle eut beau me promettre de demeurer dans la section la moins profonde, avec les «bébés», sous mon étroite surveillance, j'étais horrifiée à la pensée que mon «bâton de vieillesse» puisse avaler une seule autre gorgée de cette flotte traîtresse. Je me rendais compte que ma prudence excessive risquait d'inhiber Célia, mais nul raisonnement n'aurait pu vaincre une peur aussi viscérale.

C'est surtout moi que la mésaventure de la piscine avait traumatisée, en plus de me donner un tas de courbatures au bout de trente-six heures. Vrai, ma condition physique laissait trop à désirer. Je n'étais plus simplement une femme dans la trentaine, ou à la mi-trentaine, mais une femme dans la trentaine *avancée*.

— Ta maman perd sa souplesse et son élasticité, pichounette. Le jour n'est pas loin où je ne marcherai plus assez vite à ton goût. Tout ce que je t'ai montré, tu pourras le faire mieux que moi! Continueras-tu de m'aimer quand je serai vieille et ratatinée?

Sensible à ma «crisette» d'auto-apitoiement, Célia est venue me cajoler. Nous inversions les rôles.

— Pauvre petite maman adorée, ne t'en fais pas. Je connais un truc pour retrouver ta jeunesse.

— Tu crois encore aux miracles!

— Cette nuit, on va dormir ensemble. Tu vas me garder serrée contre toi sous les couvertures, comme quand j'étais petite. Et tu n'auras qu'à faire comme les biscuits «vampires» pour te sentir toute fraîche et en pleine forme demain matin!

— Que racontes-tu là, trésor?

Elle me rappela ce phénomène de transmutation domestique que nous avions maintes fois observé avec amusement. Le rangement de biscuits frais dans une boîte qui en contenait déjà des tout secs provoquait immanquablement une inversion quelques heures plus tard: les «vieux» biscuits vampirisaient les «jeunes» en acquérant une partie de leur fraîcheur et de leur saveur.

La sollicitude enjouée de Célia me remonta le moral. Je refusais de la prendre dans mon lit depuis le décès de Stephen, par crainte de l'accabler d'une dévorante affection en guise de compensation. Chacune devait conserver son intégrité territoriale la nuit venue. Mais cette sage conduite pouvait admettre une exception.

Poursuivant sur sa lancée, ma fille a pris un air de grande prêtresse détentrice d'un élixir de jouvence, m'encerclant le visage avec ses menottes, ainsi qu'elle m'avait sentie le faire à tant de reprises au fil des années:

— On va avoir à peu près le même âge demain en se réveillant. On va pouvoir continuer à vieillir ensemble, égales, et mourir toutes les deux en même temps, ou presque. Ce sera formidable de se rejoindre au ciel où on nous attend...

J'ai répondu sur un ton badin que rien ne pressait. Au fond, ces allusions persistantes à «l'après-vie» commençaient à m'inquiéter sérieusement.

Célia n'a pas consenti à s'endormir cette nuit-là avant d'avoir évoqué, avec mon concours, plusieurs épisodes du séjour de Charles Oddsong à partir du moment où elle a fait sa connaissance:

«Te souviens-tu de la fois où il a dit ceci?..»

«Et cette autre fois où il a fait cela?...»

Et patati et patata!

4

Propos et confidences du professeur

Nous avons d'abord invité monsieur Oddsong à prendre le thé, au jardin ou à la salle à manger, selon les caprices du temps. Le petit rituel, prétexte au bavardage, se déroulait vers quatre heures, au retour de Célia de l'école.

Seul un homme d'une distinction exceptionnelle comme Charles Oddsong pouvait me faire déroger à ma ligne de conduite envers les chambreurs. Outre l'attrait qu'il exerçait sur moi, j'ai tout de suite constaté son influence positive sur ma fille. Ses propos remplis de sagesse et d'humour constituèrent bientôt une précieuse source de divertissement et d'enseignement pour nous deux. Il ne se départissait jamais tout à fait de son rôle de professeur, sans pour autant tomber dans la pédanterie ou le dogmatisme.

Nos premiers entretiens débutèrent évidemment par des formules du genre: «Comment trouvez-vous notre pays jusqu'ici? Êtes-vous satisfait de votre voyage?»

Ces questions le mettaient dans l'embarras un peu plus chaque fois, provoquant une aggravation de son défaut d'élocution; alors nous avons cessé de les lui poser. Son opinion était de toute évidence aussi partagée que notre pays pouvait se montrer divisé sur les plans politique et culturel, entre anglophones, francophones et autochtones. Mais monsieur Oddsong ne s'embarrassait pas des problèmes nationaux pour fonder son appréciation, se contentant de sympathiser avec la minorité linguistique dont nous faisions partie. C'est l'Amérique du Nord dans son ensemble qu'il semblait embrasser du regard à travers son jugement de notre petite capitale. La comparaison penchait en faveur de son Angleterre, en dépit de tous les maux économiques qui l'affectaient et des guerres que s'y livraient les classes sociales.

— J'ai découvert un tas de choses instructives depuis mon arrivée, concédait-il. Le monde dans lequel vous vivez est très stimulant à plusieurs égards pour l'intellect; il explore sans cesse de nouvelles avenues. En contrepartie, on s'y sent constamment pressé, bousculé et sollicité de tous côtés par la publicité. C'est le règne de la consommation, et que de véhicules motorisés en circulation! Je ne pourrais vivre ici en permanence, jamais je ne m'habituerais à ce rythme infernal.

— Je n'aurais pas cru qu'il existait tant de différences entre nos deux continents, Monsieur Oddsong, m'étonnais-je en toute innocence.

J'aurais aimé qu'il apporte davantage de précisions; il préférait se retrancher dans l'humour galant.

— Ne vous formalisez pas des opinions d'un conservateur de mon espèce sur votre jeune contrée aux tendances libérales et progressistes. L'important est que j'aie réussi à prendre le thé en compagnie des deux plus exquises citoyennes qu'un touriste puisse espérer rencontrer dans n'importe quelle partie du globe. Ce bonheur à lui seul valait le déplacement...

Charles Oddsong s'abstenait de formuler des critiques plus poussées et évitait les sujets controversés, de peur peut-être d'irriter ses interlocutrices ou de froisser leur susceptibilité. Nous constations néanmoins que son entrain initial cédait progressivement la place à une lassitude désabusée.

Je le voyais partir un peu plus tard et revenir un peu plus tôt chaque jour. Il étirait le temps passé avec nous, au détriment de Matthew, le compagnon de jeu habituel de Célia. La présence de l'étranger intimidait et tenait en effet à distance notre jeune voisin. Je m'en réjouissais pour ma part, n'ayant jamais tellement apprécié les manières de ce petit macho... Aussi, lorsque monsieur Oddsong exprima l'ennui que lui occasionnaient ses repas solitaires au restaurant, je lui offris, avec l'accord enthousiaste de ma fille, le couvert à notre table pour le souper, moyennant un léger supplément. Il s'empressa d'accepter ce traitement de faveur.

Une brèche venait d'être faite dans notre intimité. Je n'ai pas craint un seul instant que nous pourrions le regretter. Je sentais déjà que c'était lui que nous allions regretter au terme de ses vacances.

○

Notre premier repas en commun prit l'allure d'un pique-nique, car la chaude température nous autorisa à rester au jardin jusqu'à la tombée du jour. Nous nous installâmes sous l'arche du saule pleureur, entourés par les rosiers qui sont l'objet de ma fierté.

Monsieur Oddsong se déclara pleinement satisfait de mes plats nécessitant le minimum d'apprêt: un assortiment de viandes froides et de fromages avec crudités et pain croûté, arrosés d'une bouteille de vin blanc ontarien pas trop sucré ni acidulé (ça existe!).

Frugal, le professeur se régalait avant tout de notre présence; nous goûtions la sienne avec un plaisir sans mélange. Célia buvait toujours ses paroles mais augmentait la fréquence de ses interventions à mesure que grandissait son assurance. Il l'encourageait en ce sens en la questionnant souvent. Il la considérait comme une interlocutrice à part entière, aux opinions précieuses. Aucune trace chez lui de ce ton condescendant qu'adoptent généralement les adultes lorsqu'ils s'adressent aux enfants. Une attitude rafraîchissante, mais qui n'allait pas sans susciter chez moi un soupçon de jalousie: c'était la première fois que ma fille me disputait d'égale à égale l'attention d'un homme autre que son défunt paternel. Mon esprit de compétition s'éveilla, mine de rien, rivalisant avec la fierté maternelle. Je redoublai de verve et de petits soins afin de «séduire» notre invité.

Monsieur Oddsong tendait naturellement à orienter la conversation vers les mathématiques ou la logique. C'était le point de départ ou d'arrivée sinon la substance de la plupart de nos propos. Sa finesse d'esprit et ses dons de pédagogue enlevaient tout caractère limitatif ou rébarbatif aux sujets de cet ordre. Plus qu'une spécialité, c'était pour lui une manière de vivre et de considérer le monde, dans le respect de ses règles fondamentales. Son credo résonne encore à mes oreilles:

— Aucun domaine d'étude scientifique ne procure davantage de satisfaction intellectuelle que les mathématiques pures! La certitude et le caractère permanent de leurs résultats apportent un sentiment de sécurité vitale à l'être humain, toujours avide de lumière et de vérité. Prenez, par exemple, un livre d'anthropologie écrit il y a cent ans: son contenu est aujourd'hui désuet et peut même paraître ridicule. Par contre, les années n'altèrent en rien le trésor de connaissances que renferment l'arithmétique, l'algèbre ou la géométrie. Deux et deux feront toujours quatre. C'est la trigonométrie qui permit aux premiers astronomes d'Alexandrie de mesurer indirectement la distance de la Terre à la Lune et de la Terre au Soleil! Et le théorème établissant que *le carré de l'hypoténuse d'un triangle rectangle* — c'est-à-dire le côté opposé à l'angle droit — *égale la somme des carrés de ses deux autres côtés* reste aussi lumineusement exact maintenant qu'il l'était à l'époque où Pythagore le découvrit, au VIe siècle avant Jésus-Christ. On prétend d'ailleurs qu'il fêta l'événement en massacrant un troupeau de bœufs. Une manière d'honorer la science qui me paraît bien barbare, soit dit en passant!

— Vous aimez les bêtes, vous aussi, n'est-ce pas, Monsieur Oddsong? releva Célia.

Depuis la mort de Stephen, elle cherchait à me convaincre d'acheter un chien pour lui tenir compagnie. Sans doute comptait-elle obtenir un encouragement, un appui en ce sens de la part du professeur. Il se borna à acquiescer en enchaînant:

— Puisque tu aimes les animaux, je vais te conter une histoire de mon cru qui en met trois en scène: un loup, une brebis et son agneau. Elle illustre un des nombreux paradoxes de l'existence et comporte de ce fait un point de logique intéressant. Écoutez attentivement, c'est moins compliqué qu'il n'y paraît au premier abord... Un loup très affamé avait enlevé un agneau dans un pâturage. Témoin de la scène, la mère brebis se mit à genoux et supplia qu'on lui rende le fruit de ses entrailles (oui, oui, *le fruit de ses entrailles,* comme dans le *Je vous salue, Marie*). «Eh bien, dit le loup, je consens à te le rendre si tu parviens à dire de manière *véridique* ce que je vais faire de lui; autrement je le dévorerai.» La brebis s'écria spontanément: «Tu vas le dévorer!»... «Dans ce cas, dit le rusé prédateur, je ne peux pas te rendre ton petit, puisque ce faisant, je prouverais que tu n'as pas dit la vérité»... «Au contraire, objecta la mère, tu ne dois pas le dévorer, car ce faisant, tu prouverais que j'ai dit la vérité. Or, tu m'as promis que si je disais vrai, tu me le rendrais!»... Lequel a le plus raison, selon vous?

— La brebis, avons-nous prononcé à l'unisson et après réflexion.

— Je partage votre avis. La brebis s'est montrée plus logique; elle a pris le loup à son propre piège. Mais je ne suis pas sûr que l'agneau ait été épargné pour autant. À vous d'imaginer la fin de l'histoire. Dans ce genre de situation, la raison du plus fort est toujours la meilleure, s'il faut en croire un fabuliste français dont le nom m'échappe...

— La Fontaine! cria Célia, toute fière d'étaler son érudition.

— Oui, bravo!

— Quel sale et méchant loup, tout de même!

Elle se désolait pour le petit et sa mère, mammifères qui, grâce au verbe de monsieur Oddsong, avaient acquis une réalité et des sentiments, contrairement au cochon et au poulet qu'elle venait de «dévorer» au souper. Paradoxe de l'enfance.

Nous conversions ainsi en passant du bœuf au loup et du coq à l'âne. Dans le discours du professeur, les considérations philosophiques sur le genre humain se mariaient avec les chiffres et le raisonnement. À la fois moraliste, idéaliste et lucide, imbu de classicisme mais fasciné par les sciences, Charles Oddsong incarnait l'humaniste en voie de disparition tel que je m'étais plu à l'imaginer depuis mon adolescence.

Les questions relatives à la perception du temps ainsi que les rapports de grandeur entre les diverses composantes de l'univers passionnaient le professeur. Et en bon vulgarisateur, il aimait fournir des exemples en recourant à des objets familiers.

— Regarde cette olive, Célia. Savais-tu que son diamètre, comparé à la taille d'un homme normal, équivaut au diamètre de notre planète Terre par rapport à celui de l'astre Soleil? Le diamètre du Soleil, comparé à la circonférence de la galaxie, équivaut par ailleurs au diamètre d'un fil de ver à soie par rapport à la circonférence de la Terre!... Or, il existe des millions de galaxies comme la nôtre. Précisons que pour compter jusqu'à un million, il te faudrait trois semaines sans interruption... ni bégaiement. Voilà qui donne une idée de l'infinie étendue de l'espace... Et que dire de l'écoulement du temps! Sachez (*il s'adressait en priorité à moi, cette fois, comme si le sujet me concernait davantage*) que l'âge approximatif de l'espèce humaine, soit un million d'années, est à l'âge de la Terre ce qu'une seconde est à une heure. Un siècle ne représente dans l'histoire de notre planète que l'équivalent d'un tic tac d'horloge dans une saison! Et on estime que l'univers a quatre fois l'âge de la Terre, c'est-à-dire environ 16 milliards d'années... Une vie ne représente qu'un grain de sable dans la vaste carrière du temps. Nous n'entretenons pas moins un puissant sentiment d'immortalité ou une ardente aspiration à cet état... Curieux, n'est-ce pas?

Célia assimilait aisément toutes ces données qui donnaient le vertige. Elle se promettait de les répéter à l'école pour épater prof et camarades. Je luttais pour ma part contre l'émergence d'un complexe d'infériorité.

— Vos cours doivent être captivants, Monsieur Oddsong. Je mesure l'étendue de mon ignorance en vous écoutant.

— Oh! mes connaissances sont beaucoup plus limitées que vous ne le croyez, chère Madame, répliqua-t-il avec humilité. Je suis même persuadé que vous pourriez m'en apprendre sur de nombreux points, vous et votre fille. D'ailleurs, ce que je viens de vous raconter, je l'ai puisé en grande partie dans des ouvrages consultés à la bibliothèque ce matin même...

— Vous êtes allé vous enfermer dans un endroit pareil par une si belle journée! m'exclamai-je avec une nuance de reproche. Est-ce une caractéristique masculine que de ne pouvoir profiter pleinement de ses vacances? Stephen, mon défunt mari, traînait partout où nous allions — y compris lors de notre voyage de noces — de la paperasserie concernant les avions. Il avait toujours un examen à préparer pour son avancement comme pilote... Quel est votre mobile à vous, Monsieur Oddsong? Êtes-vous déjà lassé de tous les charmes de la région de la capitale? Avec ses dizaines de musées et de bâtiments historiques, sa pittoresque place du Marché, ses parcs enchanteurs — surtout celui de la Gatineau! Avez-vous sillonné nos réputées pistes cyclables, effectué une croisière le long de la rivière Outaouais?

— Et fait du canot sur le canal Rideau ou le lac Dow? de compléter Célia.

C'était l'essentiel à retenir du paysage et des sites. Rien de très impressionnant pour un citoyen britannique, à vrai dire. Selon la description de notre chambreur, la petite ville d'Oxford alliait la suavité d'un décor naturel jalousement préservé à l'attrait d'un patrimoine architectural exceptionnel. Et tout autour, la splendeur réputée de la campagne anglaise. Il se rendait régulièrement à Londres, que j'ambitionnais pour ma part de visiter dans un avenir pas trop lointain. La Tamise, la Tour, le légendaire *Big Ben*, la cathédrale Saint-Paul, l'abbaye de Westminster, le British Museum, les magasins fabuleux... Certes, par comparaison, on avait vite fait l'inventaire des attraits touristiques de l'Outaouais, tant du côté anglo-ontarien que franco-québécois. D'autre part, le professeur n'était pas du genre à aller bambocher dans les bars louches de Hull jusqu'aux petites heures du matin. Il s'ennuyait sûrement des pubs ou, mieux, de son *private club*. Pas étonnant qu'il se rabatte sur les bibliothèques, réflexion faite.

— J'aime enrichir mes connaissances en tous lieux, en toutes circonstances et les livres demeurent pour ce faire le meilleur moyen, confirma monsieur Oddsong. Mais je serais déjà reparti vers d'autres villes importantes de ce pays, poursuivre mes découvertes, à Montréal ou à Toronto par exemple, n'eût été de votre accueil chaleureux. Vous êtes jusqu'ici les deux seules personnes avec lesquelles je suis parvenu à établir une relation significative. Grâce à vous, je marque chacune de mes journées de vacances d'une pierre blanche.

Son hommage me grisa comme une jouvencelle, même si j'avais conscience que le mérite revenait surtout à Célia. Je m'appliquai en silence à en évaluer le sens profond et le poids exact. Ma fille se mit à tousser. J'ai d'abord cru à un retour de son asthme. Elle m'a rassurée aussitôt: sa gorgée de jus avait passé de travers, simplement. Une façon originale de traduire son émotion dans une situation délicate.

Monsieur Oddsong a tout de suite manifesté de la compassion en apprenant la maladie dont souffrait pichounette. Il s'est dit désolé de ne pas être médecin et habilité à la soigner. Mais il semblait la soulager par sa seule présence; les difficultés respiratoires, les larmoiements et autres symptômes se résorbaient, disparaissaient. Comme pour consolider son action bénéfique, il a allongé le bras et posé une main finement ciselée sur le front de Célia en la couvant du regard.

Je commençais à considérer l'opportunité de me découvrir un «bobo» susceptible d'attirer la même sympathie, quand le regard de Charles Oddsong se fixa au loin, vers le fond du jardin clôturé. Ce n'étaient pas les rosiers ou quoi que ce soit d'autre d'agréable qu'il détaillait ainsi, à en juger par son changement d'expression. Je tournai la tête pour apercevoir Matthew qui s'avançait timidement. N'obtenant pas de réponse en sonnant à la porte, notre jeune voisin avait emprunté l'allée du garage et amorcé une entrée silencieuse. Normalement, Célia aurait dû jouer avec lui à cette heure-là; il s'inquiétait de ce détachement des derniers jours et venait flairer son rival. Il souffrait de se savoir relégué dans l'ombre, et c'était bien fait pour lui: il avait tenu ma fille pour acquise avec son attitude de conquérant.

— *Hi, Matthew! Would you like to join us and meet our guest?* lui ai-je tout de même charitablement demandé, dans sa langue.

Il m'a fait répéter; je me suis exécutée avec moins de conviction. Célia demeurait immobile, neutre. Elle suivait comme moi la progression de l'hostilité dans la physionomie de monsieur Oddsong à mesure que le garçon s'avançait à pas hésitants: froncement des sourcils, serrement des mâchoires, crispation des lèvres. Notre chambreur signifiait son rejet d'une manière si éloquente que Matthew s'arrêta à quelques pieds de la table, en proie à une confusion extrême.

— J'pense que j'ferais mieux de revenir une autre fois, bredouilla-t-il finalement *en français* avant de rebrousser chemin... sans demander son reste.

Célia et moi en restâmes bouche bée. C'était la première fois que Matthew daignait s'exprimer dans ce qu'il savait être ma langue maternelle. Nous l'en aurions cru incapable. Je fus tentée de voir là un autre des effets surprenants que le professeur exerçait sur son entourage.

L'importun s'étant volatilisé, nous retrouvâmes tous les trois notre sérénité et notre appétit. Je commentai sur un ton amusé:

— On dirait que vous l'avez terrorisé, Monsieur Oddsong!

Il ricana d'une manière complice.

— Il en va de même pour moi, chère Madame. Je ne me sens ni à l'aise ni en confiance avec les garçons. Ils ne sont pas du tout de mon goût. *Je ne suis pas loin de* considérer leur existence comme une erreur de la nature...

On sentait que la boutade exprimait une aversion réelle, une condamnation sans appel.

— Pourtant, vous avez déjà été un petit garçon, vous-même, fis-je remarquer.

— Je n'en conserve pas le meilleur des souvenirs, avoua-t-il, lugubre.

Il ajouta que ses affinités s'étaient toujours développées avec les représentantes du sexe féminin depuis la tendre enfance. Il s'entendait mieux avec ses sœurs qu'avec ses frères; il adorait sa mère, alors que ses relations avec son père avaient été tendues et décevantes dans l'ensemble. Comble de malheur, ses classes actuelles se composaient exclusivement de jeunes hommes, qu'il qualifia d'ingrats et d'indisciplinés. (Une telle ségrégation persistait donc en Angleterre!) Le fait de ne pouvoir enseigner aux demoiselles, avec lesquelles il se sentait en si parfaite intelligence sur tous les plans, entraînait chez lui une frustration et un manque de motivation qui n'échappaient pas aux étudiants. Ses cours étaient considérés comme ennuyeux par plusieurs... Il ne fallait dès lors pas trop s'étonner ni s'indigner de sa tendance à fuir — et à dénigrer — la gent masculine en dehors du collège.

J'en ai conclu que, sans être un féministe à proprement parler, Charles Oddsong ne tirait aucun sentiment de supériorité de son état de mâle. C'était tout juste s'il n'en avait pas honte.

Je le comprenais, jusqu'à un certain point. Les rares messieurs que j'avais intimement connus, à commencer par mon cher Stephen, ne brillaient pas par l'abondance de leurs qualités sur le plan personnel. Quant à ceux qui détenaient le pouvoir et défrayaient l'actualité, mieux valait ne pas les considérer, sous peine de rabaisser encore la moyenne... Oui, il fallait une certaine indulgence pour aimer les hommes. Je n'en continuais pas moins d'espérer en découvrir un qui réponde exactement à mes désirs et à mes attentes tout en comblant les besoins affectifs de ma fille.

Je souhaitais que Charles Oddsong se sente tout de même assez bien dans sa peau pour être en mesure de connaître avec une femme un bonheur autre que spirituel, un amour plus que platonique, advenant que l'occasion se présente. Il m'apparaissait comme une excellente chose que l'Église anglicane autorise ses pasteurs à s'épanouir à travers l'institution du mariage.

5

Flash-back au ralenti

Tout le voisinage fut bientôt au courant des visions de l'au-delà que Célia affirmait avoir eues à la suite de son accident à la piscine. Je n'avais pas jugé bon de lui interdire d'en parler à l'extérieur de la maison, précisément afin d'éviter de mettre l'accent sur ce qui me paraissait n'être qu'une lubie.

Le colportage de son expérience suscita une curiosité souvent morbide. À la fin de l'été, nous reçûmes des appels d'hurluberlus qui se prétendaient doués de pouvoirs médiumniques. Ils désiraient ardemment se livrer avec ma petite fille à des pratiques douteuses...

Il me fallait agir pour enrayer ce vent de folie qui menaçait notre précieuse tranquillité et risquait de compromettre l'harmonie de nos rapports.

J'ai naturellement songé à consulter des psychologues. Je me suis informée à l'hôpital et j'ai effectué plusieurs appels à des bureaux privés. Tous eurent l'honnêteté d'avouer assez tôt leur incapacité à «nous» venir en aide. Célia n'avait à proprement parler aucun trouble de comportement, ne souffrait d'aucun mal apparent — à part son asthme qui, hélas, refaisait surface. Elle prétendait avoir vécu des choses qui dépassaient les frontières de notre entendement, mais qui semblaient rejoindre les conclusions de récentes recherches effectuées sur «l'après-vie». Autrement dit, tout cela pouvait avoir un fond de *réalité*.

Selon ces praticiens, la meilleure solution consistait à soumettre Célia à une séance d'hypnose pour tenter de vérifier si ses visions comportaient véritablement un caractère paranormal ou si elles n'étaient que le produit de son imagination combiné à des informations recueillies dans son entourage. Nous en aurions ainsi le cœur net, tout en contribuant à l'avancement d'une science nommée «métapsychique». On m'assurait que ces séances d'hypnose ne comportaient pas le moindre danger pour ma fille, à condition qu'elles soient menées par un spécialiste possédant une solide expérience avec les enfants. Tel que je l'avais appréhendé, il n'en existait aucun dans la capitale.

Cependant, le bouche à oreille fonctionna dans le milieu. Je reçus rapidement, par interurbain, les offres de service de deux hypnothérapeutes patentés. Le premier pratiquait à Toronto et jouissait d'une réputation internationale, publications à l'appui. J'ai choisi la seconde, une femme, parce que ses tarifs étaient plus raisonnables et son cabinet, moins éloigné, soit à Montréal.

La visite me permettrait de prendre avec Célia un bain de francophonie quasi intégrale. Après la consultation en français, *s'il vous plaît*, nous pourrions assister à un bon spectacle dans cette même langue qu'une majorité de gens là-bas parlent sans honte, du moins à l'est de la «Main». Ce serait un changement bénéfique, une façon de joindre l'utile à l'agréable. Le soir venu, nous logerions dans un petit hôtel pittoresque dans le «Vieux», à défaut de trouver l'équivalent d'un *bed and breakfast*. Célia viendrait alors se coller contre moi dans l'unique lit, sans se sentir obligée de jouer les biscuits vampirisés.

Malgré l'attrait culturel qu'exerce Montréal sur une Québécoise de souche comme moi, je ne suis pas tentée d'y déménager. Je trouve que la criminalité, la pauvreté et le manque de civisme y font des ravages croissants. Le climat de frénésie anarchique qui règne dans son centre-ville ne me convient qu'à petites doses: deux ou trois fois par année et jamais plus de quarante-huit heures d'affilée.

Toujours est-il que j'ai profité d'un creux dans la fréquentation du *Cozy Guests House*, à la mi-septembre, pour effectuer avec ma fille un premier voyage de consultation dans cette ville aussi fascinante que décadente, à mon sens.

○

— J'entends maman se lamenter à côté du *life-saver* qui se démène pour me ranimer, mais rien à faire, je sors de mon corps... J'ai l'impression d'être légère, légère comme une plume, et de flotter dans un endroit tout noir — une sorte de caverne ou de tunnel. Ça n'a rien d'effrayant pourtant. Il y a une drôle de chaleur qui me picote en dedans. Je me sens super bien sans comprendre pourquoi. Je n'arrive pas à croire que je suis morte. Quelque chose m'emporte... Une force m'entraîne comme dans un manège. Je file à toute vitesse vers une petite lumière très, très brillante au bout du tunnel...

J'avais des frissons dans le dos en écoutant Célia revivre en état d'hypnose son incursion dans l'autre monde. Elle gardait les yeux fermés pour mieux se concentrer, mais la joie évoquée transparaissait sur sa figure. Elle était allongée sur un tapis entouré de coussins aux motifs orientaux: adepte du yoga et de la méditation transcendantale, la docteure Bilodeau boudait le mobilier traditionnel des cabinets de psy. Assise dans la position du semi-lotus, la jeune femme blonde à la voix toute de douceur et de persuasion me rassura d'une œillade. «C'est votre fille elle-même qui va pouvoir se plonger en transe par suggestion; je ne suis qu'un guide, avait-elle précisé avant la séance. Célia semble faire partie des bons sujets, comme la plupart des enfants, car elle ne crée pas de résistance consciente ou inconsciente à l'action hypnotique à partir de préjugés, de craintes ou de doutes.»

Elle avait vu juste. Mes propres craintes, doutes et préjugés d'adulte commençaient à tomber devant le résultat obtenu. Le compte rendu de ma fille «endormie» — et pourtant attentive aux directives, aux questions — s'enrichissait de détails particulièrement convaincants et émouvants.

Dans le récit de sa vie défilant à la manière d'un film en accéléré, elle mentionna, outre l'épisode du chat arrosé, une foule d'autres événements dont il lui aurait été impossible de se souvenir en état de veille. Des scènes dont j'avais sous-estimé l'importance en tant que parent témoin. Mais la suite s'avéra encore plus instructive:

— Quand j'arrive au bout du tunnel, dans la lumière plus fantastique que dix mille feux d'artifice, des êtres s'avancent pour me souhaiter la bienvenue. Ils sont remplis d'amour et très contents de me voir. Je reconnais tante Suzie qui est morte du cancer. Elle me dit que sa maladie l'a beaucoup aidée, parce que la souffrance qu'on ne peut pas éviter rend l'âme plus légère et meilleure. Elle ne me parle pas avec sa bouche; je comprends tout directement par la pensée qui voyage comme un courant électrique. Même chose avec monsieur Oddsong qui s'amène à son tour: je n'ai pas besoin de me forcer pour comprendre son drôle d'accent; il parle dans ma tête en souriant tout le temps. Il se sent encore plus heureux d'être là-haut maintenant que je viens le rejoindre... Mais je ne suis pas encore entrée. J'en saurai beaucoup plus quand les portes s'ouvriront toutes grandes...

Célia fit une pause avec l'air de planer sur un nuage rose. Je me demandais si l'entité céleste qu'était devenu monsieur Oddsong se serait montrée aussi contente de me voir arriver à la place de ma fille. J'enviais l'accueil qui lui avait été réservé... Mais qu'advenait-il de Stephen dans tout ça? La docteure Bilodeau relança la narration:

— Qui d'autre d'important reconnais-tu autour de toi, Célia?

— Il y a mon papa, mais il passe vite comme un éclair, dit-elle après une hésitation et avec une légère grimace de dépit. Papa est seulement venu me saluer. Il doit retourner plus bas, près de la terre. C'est plus fort que lui, il veut flotter encore au-dessus de l'endroit où son avion s'est écrasé. Dans les Territoires du Nord-Ouest... Il ne comprend pas ce qui est arrivé... «Je ne comprends pas comment cet accident a pu se produire. On m'avait pourtant assuré *que tout était en parfait état. Ah! les salauds!»*

Elle avait prononcé ces derniers mots en imitant la voix de Stephen! La docteure Bilodeau acquiesça d'un air entendu; je l'avais mise au courant des circonstances tragiques du décès de mon mari. Elle chuchota à mon intention:

— L'esprit d'un accidenté reste souvent à ras de terre, à hanter les lieux de la catastrophe qui l'a emporté prématurément. C'est, après le suicide, la pire façon de mourir...

Demeurer rivé au sol, surtout pour l'esprit d'un pilote, ce devait être très pénible, en effet. Pauvre Stephen! Je glissai quelques mots à l'oreille de la docteure. Reportant toute son attention sur ma fille, elle lui posa les questions que j'avais prévues en guise de test:

— Ton père est-il en uniforme, Célia?

— Oui, son bel uniforme bleu de l'Armée de l'air. Mais il a enlevé sa casquette pour saluer tante Suzie, monsieur Oddsong et tous les autres qui sont réunis ici. Il a fière allure, mon papa, même si son visage est triste!

— Peux-tu me dire combien de galons a son uniforme? Tu sais, ces petites bandes de tissu de couleur or, cousues sur l'épaule...

— Oui, oui, je vois très bien: il a trois bandes à chaque épaule. Deux grosses et une petite au milieu. Il porte une grosse médaille en plus.

L'exactitude de la réponse me laissa stupéfaite et balaya mes derniers doutes quant à la valeur d'un tel témoignage. Célia avait vu pour la dernière fois son père en uniforme une semaine avant l'accident fatal, c'est-à-dire avant qu'il ne s'envole vers la base militaire où il devait poursuivre son entraînement et passer officiellement du rang de capitaine à celui de major. La dépouille avait été ramenée à Ottawa mais non exposée, pour des raisons évidentes. Ma fille ne pouvait donc avoir en mémoire l'image de Stephen nanti de tous ses galons d'officier et, surtout, de la décoration posthume qui lui fut décernée un mois plus tard!

— Continue de me raconter ce qui se passe, l'encouragea la docteure Bilodeau.

— L'Être de lumière s'approche. Je sais que c'est Dieu. Il me dit gentiment que je ferais mieux de retourner sur terre avec ma mère. Elle a trop besoin de moi. «COMMENT VA-T-ELLE POUVOIR SURVIVRE SANS SA PICHOU-NETTE?», me demande-t-Il plusieurs fois, sans se fâcher. Il me fait comprendre que tante Suzie et monsieur Oddsong peuvent attendre, et que papa n'est pas encore prêt à me recevoir... «REGARDE COMME ELLE SOUFFRE», continue le Bon Dieu. Et je me vois étendue sur le bord de la piscine, avec plein de baigneurs autour et maman penchée sur moi, dans tous ses états. Je craque. «AU REVOIR, CHÈRE CÉLIA, AU REVOIR!», font les autres avant que je ne redescende...

Une larme apparut au coin de l'œil de ma fille tandis qu'elle rapportait ces salutations d'outre-tombe. Elle déclara s'être ensuite sentie aspirée vers le bas à une vitesse vertigineuse, sans repasser par l'espèce d'entonnoir, pour se retrouver subitement dans son corps qui revenait peu à peu à la vie.

Visiblement satisfaite autant que moi, la docteure Bilodeau passa à la phase finale de l'expérience, dont l'objectif était clairement thérapeutique.

— Maintenant, Célia, tu vas te réveiller et retrouver ton état normal en suivant mes indications. Tu continueras à respirer de façon régulière, aisée, comme si tu n'avais jamais eu d'asthme. Tes poumons, tes voies respiratoires au complet sont en parfait état de fonctionnement. Tu n'as aucune raison d'avoir le nez bouché, de tousser, de larmoyer ou d'éprouver quelque autre difficulté à partir de cet instant...

L'idée ne me serait jamais venue de faire traiter ce genre de problème au moyen de l'hypnose. La docteure me l'avait proposé spontanément comme complément à l'investigation sur l'au-delà, affirmant qu'il s'agissait d'une pratique courante dans sa profession.

— ...Tout va bien du côté de ta respiration, comme pour le reste, Célia. Tu te réveilleras dès que j'aurai fini de compter jusqu'à cinq. Attention, je commence: un...

Mais allait-elle s'éveiller *tout à fait*? me demandais-je depuis le début. Là résidait ma principale crainte. La psychologue avait dû déployer tact et assurance pour obtenir ma permission de procéder à l'expérience.

— Deux…

S'il fallait que ma fille reste à jamais prisonnière de ce royaume inaccessible aux simples vivants!

— Trois…

La docteure Bilodeau m'avait juré que Célia ne courait aucun danger. *Un sujet abandonné en état d'hypnose tombe dans un sommeil normal et finit par se réveiller tout seul.*

— Quatre…

Il n'empêche que je n'aurais pas voulu voir la psychologue quitter la pièce à ce moment précis ou éprouver un malaise qui l'empêche de mener l'opération à terme!

— Cinq.

Comme pour se jouer de mes appréhensions, Célia me gratifia sur-le-champ d'un large sourire assorti au pétillement de son regard. Elle semblait aussi fraîche et dispose qu'au sortir d'une sieste, sans l'envie de bâiller.

Je reconnaissais l'authenticité des visions rapportées par ma fille grâce au savoir-faire de l'hypnothérapeute. Mais n'y avait-il pas là matière à s'inquiéter encore plus de son équilibre mental? La praticienne adressa la réponse à la principale intéressée, qu'elle estimait apte à comprendre la situation:

— Tu as bel et bien vécu une expérience hors du commun, Célia, mais ta maman peut se rassurer: tu n'es pas la seule. On rapporte un nombre croissant de cas du même genre depuis quelques années, partout dans le monde. Le phénomène survient à tout âge et a probablement toujours existé, mais les gens en parlent plus ouvertement aujourd'hui. Dans le langage de notre métier, il s'agit d'une «décorporation consécutive à un accident ayant entraîné un état comateux proche de la mort clinique»... Il n'y a habituellement pas de conséquences fâcheuses. Tu peux même te considérer comme privilégiée d'avoir eu un aperçu de ce qui se passe après notre vie ici-bas... J'en ai profité pour te faire des suggestions thérapeutiques concernant ton asthme et il semble que ça fonctionne. Tu respires déjà beaucoup mieux, n'est-ce pas?

— Oh oui! reconnut Célia, mais je pense que c'est surtout parce que j'ai revu monsieur Oddsong. La première fois, à la piscine, ça m'avait soulagée aussi. Et quand il restait chez nous, je respirais bien tout le temps!

La docteure Bilodeau afficha un sourire perplexe. Je confirmai les dires de ma fille. Notre ex-chambreur avait exercé une influence considérable sur son état de santé et son souvenir continuait de nous hanter toutes les deux.

— L'importance de cet Oddsong ressort clairement dans le compte rendu de Célia, convint la psy en consultant ses notes. J'aimerais avoir plus d'informations sur lui. Comment ce voyageur est-il parvenu en quelques jours seulement à occuper une si grande place dans votre vie? Ça mérite qu'on s'y attarde.

— Je ne demande pas mieux que de vous en raconter plus long si vous n'êtes pas trop pressée.

Célia me rabroua du regard.

— Pardon! nous ne demandons pas mieux...

J'avais bon espoir qu'avec le concours d'une personne aussi brillante, nous arriverions à percer le mystère entourant monsieur Oddsong et à découvrir la raison de son silence persistant depuis son départ.

La consultation se termina là officiellement, mais nous nous retrouvâmes quelques heures plus tard dans un restaurant où la docteure Bilodeau avait ses habitudes. C'est dans cette ambiance propice que j'évoquai avec Célia d'autres moments passés en compagnie de Charles Oddsong, lesquels se déroulaient d'ailleurs le plus souvent autour d'une table.

6

Briller et disparaître comme par magie

La pluie fit en sorte qu'à notre pique-nique de la veille dans le jardin succéda un souper traditionnel, entre les quatre murs de la maison. Notre humeur à tous les trois n'en fut nullement affectée. Redevenu notre unique chambreur, monsieur Oddsong s'était remis de la tentative du jeune Matthew de se joindre à nous et de regagner les faveurs de Célia. Nous ne devions le revoir qu'une seule autre fois dans cet état de contrariété mêlée de panique, tant était puissante son aversion envers les garçons, et ce fut juste avant sa disparition.

Mais n'anticipons pas…

À nos fenêtres, quelques feuilles tournoyant dans l'orage nous donnaient un avant-goût de l'automne. Confortablement installés dans la salle à manger, nous étirions le repas pour le plaisir de prolonger la conversation.

Le professeur se plaisait à nous livrer quelques trucs facilitant les calculs de toutes sortes, notamment une règle pour trouver le jour de la semaine de n'importe quel jour du mois. Il en faisait la démonstration avant de nous livrer l'explication, d'une simplicité déconcertante. Ses découvertes ne manquaient pas d'intérêt, même si leur utilité ne m'apparaissait pas toujours évidente. Sa créativité s'exerçait aussi sur le plan manuel et il se qualifiait de bricoleur invétéré. Son logement d'Oxford devait receler un joli bric-à-brac d'inventions plus farfelues que pratiques qu'il ne se souciait pas de commercialiser, étant peu doué pour les affaires. La majorité demeurait à l'état de projet, sur papier.

Charles Oddsong adorait aussi les jeux de société et prétendait en avoir conçu plusieurs, les confectionnant de ses propres mains avec des matériaux rudimentaires. Il regrettait de n'avoir pu en emporter dans ses bagages, comme il le faisait lors de ses courts voyages en train, en Angleterre, pour se distraire avec de jeunes passagères que le hasard mettait sur son chemin. Pourtant, il dut admettre n'avoir jamais joué à un jeu aussi populaire que le Scrabble! Nous nous fîmes un devoir toutes les deux de combler cette lacune en l'entraînant au salon...

Le temps filait si vite en compagnie de notre invité que pichounette en oublia d'allumer la télé pour la deuxième journée consécutive. Je n'ai pu m'empêcher de le mentionner sur un ton victorieux. Monsieur Oddsong s'en réjouit avec moi et exprima la conviction que le petit écran ne pouvait à la longue qu'altérer les facultés intellectuelles des spectateurs. Du reste, le grand écran ne valait guère mieux à ses yeux. Il affirmait que la consommation passive d'images animées issues d'une source lumineuse le plongeait chaque fois dans un état de dépérissement accéléré, que c'était du temps volé à la vie. Il ne regardait que les émissions d'information et se satisfaisait donc amplement du petit poste noir et blanc de sa chambre. Ce jugement sévère se limitait-il aux émissions produites par nos réseaux nationaux et à celles de nos voisins américains, accessibles par le câble, ou s'appliquait-il aussi à la programmation de la B.B.C. dans son propre pays? Je me suis abstenue de lui demander des nuances, trop heureuse de l'entendre diminuer dans l'estime de ma fille un moyen de divertissement qui devenait de plus en plus envahissant, perturbant son sommeil ou le retardant.

À dix heures, lorsque Célia consentit docilement à se retirer dans sa chambre, j'offris à monsieur Oddsong de rester encore un peu pour regarder le bulletin de nouvelles en anglais sur mon gros téléviseur. Il refusa poliment sous prétexte que le réalisme trop cru des images en couleurs l'agressait. Il ne supportait pas la vue du sang dans les scènes de massacre glanées aux quatre coins du globe ni les binettes écarlates des politicards sous les feux de la rampe parlementaire! Je n'eus pas davantage de succès en lui proposant de continuer à écouter de la musique romantique sur la chaîne stéréo dont il avait vanté les mérites à quelques reprises au cours de la soirée. Dans l'énervement provoqué par mon insistance, le professeur recommença à trébucher sur ses mots. Je le laissai s'enfuir après une poignée de main un peu gauche et la promesse de descendre déjeuner avec nous dorénavant.

J'étais confiante dans ma capacité de l'apprivoiser, à force de diplomatie et de patience. Il ne s'agissait pas d'un simple caprice de la chair ou d'un défi dicté par l'amour-propre. J'ambitionnais d'établir une relation durable avec cet homme exceptionnel à plusieurs égards, de nouer un lien qui défierait le temps et la distance à l'aide d'une volumineuse correspondance. Celle-ci serait couronnée par des retrouvailles à trois remplies de promesses, quelque part en Europe. À la faveur des prochaines vacances de Noël, par exemple.

Il tarda autant que moi à s'endormir. J'entendais le craquement des lattes du plancher de sa chambre, précédé ou suivi de la secousse imprimée par la chaise de bureau et amortie par le tapis. Il écrivait sans doute des lettres, des cartes postales. Ou plus vraisemblablement son journal. Comme j'aurais aimé jeter un coup d'œil sur ses écrits afin de connaître le fond de sa pensée!

○

Le lendemain, Charles Oddsong déjeuna comme convenu dans notre cuisine. Il quitta le *Cozy Guests House* en même temps que Célia et réapparut vers quatre heures, alors qu'elle revenait de l'école. Ce ne pouvait être un hasard. Rendu craintif par ma proposition de la veille, il préférait éviter de se retrouver seul avec moi. Comme il demeurait affable à mon endroit, je n'ai pas été blessée par son repli digne d'un écolier timoré.

Des averses en succession nous confinèrent à nouveau à l'intérieur pour le souper. Célia me demanda si j'étais disposée à l'emmener le lendemain matin, un samedi, au premier spectacle de la saison offert gratuitement par la municipalité à l'Astrolabe, un théâtre en plein air situé près de la Colline parlementaire.

— C'est un spectacle gratuit de *prestigitation!* clama-t-elle dans son excitation. Tout le monde à l'école se promet d'y aller!

J'ai dit que nous verrions, selon le temps qu'il ferait le lendemain. Monsieur Oddsong entreprit de rectifier la prononciation du mot «prestidigitation», aussi ardue dans les deux langues officielles. Il bafouilla tellement que ma fille éclata de rire! Je pouffai à sa suite, plus discrètement. Par bonheur, notre invité avait le sens de l'humour assez développé pour ne pas s'en offusquer. Il monta d'un autre cran dans mon estime.

— Disons que c'est un spectacle de magie (*magic show*), conclut Célia avec tact. On va y aller, hein, maman?

Elle parla ensuite de sa journée à l'école, marquée par une visite à la bibliothèque. Leur professeur avait eu la brillante idée de leur distribuer des bandes dessinées en français pour promouvoir l'apprentissage de cette langue seconde. Ma fille, la plus bilingue de la classe, avait choisi un album intitulé *Le piège diabolique,* mettant en vedette un savant britannique du nom de Mortimer: une histoire de voyage dans le temps. L'auteur, un certain Jacobs, s'était évidemment inspiré d'un classique de la littérature de science-fiction.

Comme le professeur Oddsong semblait très intéressé, Célia nous montra l'ouvrage en question. Des dessins réalistes d'excellente facture, dans le style de «Tintin», avec beaucoup de dialogues. Ma fille offrit de les résumer en anglais à l'intention de notre invité, emballé.

C'est ainsi qu'ils s'isolèrent tous les deux sur le sofa pour le reste de la soirée...

Je n'étais pas exclue comme telle, bien sûr. Je me sentais simplement superflue, réduite au rôle d'observatrice et d'auditrice. J'ai suivi, de mon fauteuil, les péripéties de ce brave Mortimer qui, s'étant introduit dans le sinistre manoir de son défunt rival, n'avait pu résister à la tentation d'essayer la machine révolutionnaire découverte dans le laboratoire. Tombé dans le piège de l'ennemi qui avait sournoisement déréglé son invention, le professeur à la rousse barbiche se voyait transporté de la préhistoire jusqu'au futur le plus lointain. Il affrontait de multiples dangers sans jamais perdre son flegme, sauf pour émettre quelques «By Jove!» dans sa langue d'origine, ce qui chaque fois déclenchait l'hilarité de Célia.

Elle me regardait alors pour me communiquer sa joie, me signifier qu'elle n'avait pas oublié mon existence malgré les apparences. Monsieur Oddsong, lui, m'ignorait presque, tout absorbé qu'il était à écouter sa lectrice et traductrice en suivant les images. Des images fixes aux couleurs pas trop «crues», semblait-il. Ce rapprochement l'enchantait. Il lui entourait les épaules avec son bras, l'incitant ainsi à s'appuyer sur lui. Il savait par expérience quelle vive satisfaction tirent les enfants des services qu'ils rendent aux grandes personnes. C'est encore le meilleur moyen de gagner leur affection. Célia ne se contenait plus de fierté de pouvoir lui être utile.

Je me demandais avec une pointe d'anxiété si ma fille possédait quelque chose de plus ou de mieux que moi aux yeux d'un homme mûr comme monsieur Oddsong. Qu'avais-je perdu de si précieux au sortir de l'enfance qui faisait à présent la supériorité de Célia? À part un peu de fraîcheur et une certaine innocence... Les qualités essentielles subsistaient, auxquelles s'ajoutaient les acquis de la maturité, du moins je me plaisais à le croire. Dans ma tête, je me savais encore capable d'avoir dix ans, ou vingt et de rigoler avec spontanéité en lisant à haute voix les «By Jove!» du professeur Mortimer, les «Tonnerre de Brest!» du capitaine Haddock ou n'importe quel autre juron juteux sorti de la bouche d'un héros de bandes dessinées. Je les regardais, envieuse et en même temps flattée. C'était ma fille, après tout. Elle me ressemblait. Monsieur Oddsong ne pouvait faire autrement que de m'aimer à travers elle, mais il se refusait à l'admettre ou craignait de le manifester par des gestes concrets.

— Quelle histoire amusante! commenta-t-il au terme de la lecture. Le concept de la machine à voyager dans le temps m'apparaît cependant simpliste et, à plusieurs égards, erroné…

Je sentais que nous allions nous faire servir en douce une autre leçon de mathématiques à travers sa critique de l'odyssée du professeur Mortimer. Il y déploya une éloquence particulière, comme si le sujet avait déjà alimenté ses réflexions et le concernait de près:

— On constate que la machine se retrouve exactement au même endroit après chacune de ses traversées dans le temps. C'est une aberration, puisque la rotation de notre planète fait en sorte que le lieu du décollage et celui de l'atterrissage ne peuvent coïncider, à moins qu'ils ne s'effectuent exactement à la même heure. Or, il appert que le héros piégé est projeté de manière désordonnée dans le passé ou le futur! Il doit déjà être très difficile de calculer le moment précis d'arrivée dans des conditions normales d'utilisation de la machine! Par exemple, si l'on voulait, le premier janvier 1990, retourner un siècle en arrière, il suffirait à première vue de reculer de cent fois 365 jours comportant vingt-quatre heures chacun, soit un total de 876 000 heures ou, si vous préférez, 52 560 000 minutes, n'est-ce pas?

Je n'avais pas ma calculatrice en main, mais l'opération me semblait exacte.

— Eh bien! non! affirma le professeur. Parce qu'il faut compter un jour de plus tous les quatre ans: les années bissextiles. Un voyageur temporel qui oublierait ce détail se retrouverait non pas il y a cent ans, mais cent ans moins 25 jours précisément, soit à la fin de janvier 1890! Le même problème de décalage se poserait pour un voyageur dans le futur, mais en sens inverse: l'arrivée se ferait plus tôt que prévu. Et selon toutes probabilités, notre distrait foulerait le sol d'un autre pays. Pis encore, il aurait deux chances sur trois d'amerrir au lieu d'atterrir!

Je l'écoutais religieusement, mais de son côté, Célia tombait de sommeil après sa performance linguistique. Elle ne cherchait pas à réprimer ses bâillements. Monsieur Oddsong estima que le moment était venu de prendre congé pour nous «laisser nous reposer toutes les deux».

Moi, je n'étais nullement fatiguée. Il cherchait encore à s'esquiver sous le couvert de la prévenance.

— Pouvez-vous rester encore une minute, Monsieur Oddsong? J'ai quelque chose à vous dire en particulier.

Célia me souhaita bonne nuit avec une chaleureuse étreinte et, pour la première fois, accorda un baiser sur la joue à notre invité. Cette marque de considération parut lui donner le courage nécessaire pour converser seul à seul avec moi.

Je commençai par essayer de savoir si nous aurions la chance de l'avoir encore longtemps sous notre toit. Il l'ignorait encore, mais ce ne pouvait être qu'une question de jours; ses vacances tiraient à leur fin et d'autres destinations le sollicitaient. Il n'avait pas encore acheté son billet d'avion pour le retour. Je m'approchai pour lui demander un pseudo-service.

— Auriez-vous l'obligeance de nous accompagner demain à ce spectacle de magie au parc? Je crois qu'il fera beau et Célia va insister pour y aller. J'ai perdu l'habitude de ce genre de sortie depuis la mort de Stephen. Avec vous, je me sentirais plus à l'aise dans la foule. Et comme ma fille apprécie beaucoup votre présence...

Statistiquement parlant, il y aurait environ cinquante pour cent de garçonnets présents; monsieur Oddsong accepta tout de même — du moment qu'il n'avait pas affaire à eux *directement,* n'est-ce pas? Il n'allait pas rater cette occasion de partager une nouvelle activité avec «l'adorable petite Célia»!

— ... Et avec sa maman si charmante, ajouta-t-il un peu sur le tard, avec des signes de confusion. J'aimerais en retour que vous m'accordiez une faveur, chère Madame. Il y a déjà un certain temps que j'y songe en attendant l'occasion propice.

Il marqua une pause embarrassée. Je l'invitai à s'exprimer en toute liberté. J'affirmai être disposée à accéder à n'importe quelle demande de sa part, en autant qu'elle ne soit pas trop déraisonnable... Il rougit un tantinet. La situation se corsait, enfin.

— Je... je souhaiterais que votre fille et vous me serviez de modèles pour une séance de photographie. Votre jardin me paraît être le décor idéal, et demain après-midi serait un moment tout à fait approprié, si le soleil se montre. Qu'en pensez-vous?

— C'est tout?

Je souriais pour masquer ma déception. Je ne réalisais pas encore quelle importance il accordait à cette séance de photos ni, par conséquent, à quelle tâche je nous engageais, Célia et moi, en donnant mon accord.

Monsieur Oddsong employa les quelques minutes restantes de notre tête-à-tête à me déclarer la passion qu'il vouait au portrait — en noir et blanc, *of course.* Il escomptait accomplir des chefs-d'œuvre avec nous en recourant à l'appareil le plus *sophisticated* qu'il serait en mesure de louer moyennant un acompte. En effet, il avait jugé son propre équipement trop encombrant pour prendre place dans ses bagages.

○

C'est donc sur le chemin de l'Astrolabe que je m'offris à nouveau le double plaisir de marcher en compagnie de ma fille et d'un monsieur. Je me disais que cette reconstitution momentanée de la cellule familiale en public pouvait devenir, avec un peu de persévérance et d'habileté, une reconstruction à part entière.

Célia pressait le pas entre Charles Oddsong et moi en nous saisissant le bras à l'occasion. Elle n'acceptait plus les serrements de main, qui faisaient trop «bébé». Je devais apprendre à me montrer moins possessive, à respecter son besoin d'indépendance et son sens de l'initiative.

J'espérais un changement des positions pour être à mon tour en contact étroit avec «notre» homme. Il préféra laisser Célia s'interposer au milieu tout au long du parcours jusqu'au parc, tout en prodiguant à chacune de nous une part égale d'attention et de propos galants.

Le temps s'était remis au beau, avec un faible risque d'orage en fin d'après-midi.

Monsieur Oddsong parlait avec entrain de sa séance de photos à pichounette qui s'efforçait, pour sa part, de ramener la conversation sur le tapis de la magie. J'entrais dans le jeu, appuyant tantôt les répliques de ma fille, tantôt celles de notre escorte. Je participais à leur petite joute oratoire sans perdre ma neutralité ni renoncer à la badinerie. À tel point que l'on n'aurait plus su dire lequel de nous trois était le plus jeune de caractère.

LUI — Quelqu'un a-t-il fait de beaux portraits de vous dernièrement, Mademoiselle Célia?

ELLE — Non, Monsieur, personne non plus ne m'a emmenée à un show... excusez-moi, à un spectacle de magie dernièrement. Même que personne ne m'y a jamais, jamais emmenée de toute ma vie! Alors j'ai bien hâte!

LUI — Moi, je brûle d'impatience de t'immortaliser sur pellicule avec ta mère. J'ai été louer l'appareil tôt ce matin afin d'être prêt dès notre retour à faire sortir le petit oiseau de l'objectif!

MOI — Mon Dieu! je n'avais pas entendu cette expression-là depuis des lustres...

ELLE — Comme la colombe qui va sortir du mouchoir du magicien? C'est au programme, vous savez!

LUI — J'espère que nous continuerons à bénéficier de cette splendide lumière en début d'après-midi.

MOI — Sinon, on pourra toujours demander au magicien de faire disparaître les nuages d'un coup de baguette. Pas vrai, pichounette?

ELLE — En même temps qu'il prononcera la formule magique «abracadabra! cadabra!», c'est bien ça?

Si le théâtre de l'Astrolabe constitue un lieu de prédilection pour l'observation des étoiles, il offre également de jour un panorama qui vaut le déplacement. Il se dresse à l'extrémité d'une langue de verdure s'avançant dans l'Outaouais, juste à côté des écluses de l'embouchure du canal Rideau et du pont Alexandra. Les édifices du Parlement de style néo-gothique y apparaissent sous un angle insolite, avec un relief saisissant, tout comme le nouveau musée canadien des Civilisations érigé sur la rive opposée, à Hull. Célia, jamais à court d'imagination, m'a déjà fait remarquer que la structure audacieuse de ce musée, tout en rondeurs évoquant un gigantesque gâteau de noces, pourrait servir de piste d'atterrissage aux soucoupes volantes et aux autres OVNIS qui, paraît-il, se manifestent souvent dans la région. Les extraterrestres affectionneraient notre vallée pour d'obscures raisons. Le ministère de la Défense nie bien sûr leur existence, mais Stephen affirmait avoir aperçu à maintes reprises des objets insolites lors de ses vols à haute altitude.

Mon scepticisme naturel m'interdisait en principe de prêter foi à l'inexplicable, contrairement à ma fille. C'était un moyen de défense contre l'ébranlement de mes certitudes somme toute confortables, une barrière de résistance face à des révélations qui auraient pu susciter encore plus de questions que de réponses. Mais parfois, au cours des belles soirées d'été propices à la rêverie, j'étais tentée d'accréditer l'hypothèse que des visiteurs d'autres planètes venaient nous reluquer avec envie ou dégoût, désarroi ou colère et que les plus téméraires d'entre eux s'aventuraient parmi nous. Après tout, des techniques ou des facultés supérieures aux nôtres permettaient peut-être de tels prodiges...

Je n'ai pas eu le loisir de recueillir l'opinion de notre mathématicien sur l'existence possible d'autres créatures intelligentes dans l'immensité du cosmos. Autour de notre trio, les gradins en demi-cercle achevaient de se remplir d'une foule criarde, constituée en majorité d'enfants. Célia envoya la main à plusieurs élèves de sa classe.

Le spectacle mettait en vedette un jeune natif d'Ottawa de retour d'un stage de formation auprès des maîtres américains de l'illusionnisme. Sa performance ne comportait rien de vraiment nouveau ou d'exceptionnel, surtout pour les adultes. Nous avons la possibilité de voir tant de choses ahurissantes à la télé, dans le cadre des émissions de variétés ou des festivals de cirques, sans parler des films de science-fiction remplis de savants trucages! Cependant, le fait d'assister en personne à l'événement, assis dans un amphithéâtre bondé, décuplait le plaisir d'un public gagné d'avance. Je me suis laissé embarquer à fond en applaudissant généreusement. Monsieur Oddsong allait encore plus loin: il calquait ses réactions sur celles de ma fille qui croyait en la réalité de la magie déployée sur scène. Il semblait éprouver le même ravissement qu'elle grâce à son aptitude à redevenir enfant. Je me voyais encore reléguée au rôle de chaperon que l'on gratifie de temps à autre d'un signe de reconnaissance — dans les deux sens du terme.

La complicité que le professeur avait développée avec les petites filles en général, et avec ma Célia en particulier, l'empêchait, dans une certaine mesure d'être attentif à ce que j'aurais pu lui apporter en tant que femme. Mais, telle une magicienne, je guettais le moment opportun pour sortir en douce de ma manche les quelques atouts qui restaient dans mon jeu.

○

Le retour au *Cozy Guests House* s'effectua dans une tout autre atmosphère. Célia avait reconnu Matthew, flanqué de ses parents, dans la foule qui se dispersait à la fin du spectacle et elle me demanda la permission de se joindre à eux «pour faire changement». Les deux enfants étaient heureux de se revoir en dehors de l'enceinte de l'école, après la période de privation imposée par notre capricieux chambreur. Je voulais de mon côté me retrouver seule avec lui. Mal m'en prit. Monsieur Oddsong se mit à bouder à la suite de cette petite désertion. Il se donna des airs pathétiques d'amoureux trahi et se montra peu réceptif à mes efforts pour orienter la conversation vers un terrain favorable à la progression de notre intimité. Redevenu adulte brusquement, il exprima sa contrariété en dénigrant le spectacle auquel nous venions d'assister:

— Tous ces trucages vieux comme le monde sont à la portée du premier venu, vous savez. Avec de l'entraînement et un matériel adéquat... Prenez par exemple la baguette qui disparaît dans une feuille de papier froissée par le presti... par l'illusionniste, qui la retire ensuite de la poche intérieure de sa veste. Il y a en fait deux baguettes. Celle qui est destinée à disparaître est composée de papier noir ayant l'apparence de la solidité grâce à des embouts de matière dure, à chaque extrémité, qui émettent, lorsqu'on les frappe contre la table, un son amplifié par un microphone... Quant à la baguette qui se brise en plusieurs morceaux dès qu'un spectateur volontaire veut s'en saisir, elle est constituée de sections creuses traversées par une cordelette. La pression du pouce et de l'index de l'opérateur la garde rigide jusqu'au moment opportun. Si cette même baguette se maintient en équilibre sur le bord de la table, avec sa plus longue partie dans le vide, c'est à cause du poids présent dans la partie opposée...

«Et savez-vous comment il fait apparaître une série de pièces de vingt-cinq cents dans sa main en ayant l'air de les retirer des endroits les plus invraisemblables, telle l'oreille d'un jeune volontaire?»

— Je l'ignore, mais vous allez sans doute m'apprendre que ça n'a rien de prodigieux.

— En effet, une seule pièce est dissimulée dans le pli de sa main droite avant d'être exhibée au public puis apparemment jetée dans le seau à champagne, comme en témoigne le bruit métallique de la chute. En réalité, les pièces tombent en succession de la main gauche qui tient le seau, chaque fois que la droite y plonge!

Je l'alimentai un peu afin de soulager son aigreur.

— Qu'en est-il des cartes choisies par des spectateurs et que l'illusionniste est parvenu à retrouver à tout coup?

— L'enfance de l'art! Toutes les cartes sont uniformément dorées sur tranches mais biseautées à une extrémité. Il suffit de présenter le paquet dans le sens inverse quand le volontaire replace sa carte et de ne pas faire subir de tête-à-queue à cette dernière en brassant le paquet!

Monsieur Oddsong s'appliqua ensuite à éventer les tours avec des anneaux de métal, les cordes nouées, l'apparition du verre de vin et la disparition de la cigarette. La colombe surgie du ruban de soie projeté dans les airs et déplié à la manière d'un accordéon devait se dissimuler dans une poche fermée par des boutons à pression à une extrémité. Le lapin sorti de la boîte apparemment vide ne pouvait provenir que d'un tiroir double aménagé à l'intérieur. J'admirais tout de même la dextérité du pseudo-magicien.

Nous avions distancé les enfants à mi-chemin. Plus inquiet que moi, Charles Oddsong ralentit le pas sans cesser de tout dénigrer. Il demeura imperméable à l'animation commerciale qui régnait dans la rue Rideau en cette fin de matinée de congé. J'aurais aimé changer de sujet et faire un brin de magasinage avec lui, flâner dans les boutiques de souvenirs, m'attarder à une terrasse pour siroter un apéritif. Un passant soucieux qui fonçait tête baissée nous sépara bêtement.

— Et la femme coupée en deux, le clou du spectacle! reprit de plus belle mon compagnon. L'explication réside évidemment dans la participation de deux jeunes filles, dont l'une est dissimulée dans la table sur laquelle repose le coffre scié. Une trappe permet à la seconde assistante de même corpulence d'allonger les jambes à l'extrémité gauche du coffre tandis que la première a la tête sortie de la moitié droite, à l'intérieur de laquelle elle se ramasse en pliant les jambes pendant que la scie entame le bois. Ensuite, les deux sections du coffre sont écartées de quelques pouces pour créer l'illusion qu'un seul corps est sectionné. Tout n'est que trucages, je vous dis!

Nous nous étions attardés sur le pas de la porte d'entrée. Son expression se radoucit soudain: Célia nous rejoignait après avoir pris congé de Matthew à la maison voisine. Elle courait presque, légère et radieuse, en agitant la main. Comme si notre séparation avait duré des heures. Monsieur Oddsong retrouva sa bonne humeur en même temps que son élue, seule et intacte. Pris d'une sorte de remords, il me confia à voix basse:

— De grâce, ne répétez pas à Célia ce que je viens de vous dire. À son âge, elle a encore besoin de croire à la magie et au merveilleux.

— Je comprends. C'est comme pour l'existence du père Noël, des fées et des lutins, sans lesquels il n'y aurait pas d'enfance.

Sa figure s'éclaira; je venais de faire mouche.

— Oui, exactement. Chère Madame, vous êtes digne de votre adorable petite fille.

Venant de lui, c'était tout un hommage. Presque une déclaration. Ses mains ont fait mine de se poser sur les miennes, puis se sont retirées pudiquement à l'approche de ma rivale.

○

Nous avons dîné dans une ambiance de fébrilité à cause de l'impatience de monsieur Oddsong d'exécuter nos portraits. Célia et moi ne tardâmes pas à nous rendre compte que l'opération n'avait rien d'une sinécure.

Je ne suis pas une spécialiste en la matière, mais la façon de procéder de notre photographe me paraissait dépassée. Il s'embarrassait de précautions inutiles, comme l'installation de l'appareil sur un trépied: à ma connaissance, un tel accessoire ne servait que pour les clichés à l'intérieur, avec flash.

Le plus fastidieux était qu'il nous demandait de prendre des poses et de les conserver pendant de longues minutes. Des poses dans le sens le plus classique du terme. Il tenait à s'assurer de la sorte que nous livrerions à la postérité l'expression recherchée, dans la position souhaitée, sous un éclairage particulier. C'était encore plus compliqué à cause du noir et blanc. Il cherchait à équilibrer à la perfection les éléments à l'intérieur du cadrage en faisant abstraction des couleurs qui l'induisaient en erreur dans le viseur. Lorsque des sujets possédaient, comme nous, «une authentique beauté formelle et intérieure», ils s'avéraient dix fois, voire cent fois mieux rendus en monochrome, répétait l'artiste, en guise d'encouragement.

Ma participation fut d'assez courte durée. C'est Célia avant tout dont monsieur Oddsong voulait capter l'essence sur pellicule, sous tous ses angles, dans des postures variées. Il l'installa de trois quarts face au soleil, devant la rangée de rosiers pour éviter tout risque de sous-exposition. Le jardin exhalait ce parfum de floraison à l'apogée qui mouille le regard et grise le cœur pour peu que l'on s'y abandonne. La perspective du départ imminent de notre chambreur accentuait mon sentiment de mélancolie. À le voir se démener, on aurait dit que la seule ambition était d'emporter le meilleur de nous sous forme d'images à coller dans son album de souvenirs de voyages. Un gros album déjà bien rempli qu'il se contenterait de feuilleter au coin du feu dans son antre de célibataire endurci!

Son premier film achevé, il exprima le désir de photographier Célia dans une tenue différente, estimant avoir épuisé toutes les possibilités offertes par le short et le t-shirt assortis. Pichounette alla enfiler sa plus belle robe, non sans un soupir d'impatience. Elle ne l'avait pas mise depuis un certain temps; ses charmes embryonnaires s'en trouvaient soulignés d'une manière un peu trop explicite à mon goût. Le modèle ne s'en souciait guère; c'était encore moi la plus gênée. Mais j'aurais encore moins apprécié qu'il lui demande de s'exhiber en maillot de bain...

— Voilà, c'est parfait, ne bouge plus, Alice! dit le photographe au plus fort de son exaltation.

— Comment m'avez-vous appelée? releva ma fille, éberluée. *Alice*? Vous avez bien dit *Alice*?

Elle me prit à témoin du regard. Le fautif s'affligea.

— Mille excuses pour cette erreur tout à fait involontaire, Célia. C'est une simple distraction de ma part, et une manière de lapsus aussi. Je connais en effet quelques petites filles prénommées Alice, et tu me rappelles l'une d'entre elles, que j'aimais énormément naguère.

Je ne pus réprimer ma curiosité, au risque de passer pour indiscrète.

— Vous en parlez au passé... Est-ce à dire qu'un accident ou une maladie l'a emportée prématurément?

— Non, elle a simplement changé, et pas pour le mieux. C'est souvent ce qui se produit lorsqu'on vieillit...

Prisonnier de son rêve de perfection juvénile, monsieur Oddsong venait de confesser à mots couverts son idéalisme sans cesse contrarié. Ce qui ne l'empêchait pas d'être troublé par la sensualité féminine à peine éclose.

Il nous fit remarquer que la langue lui avait fourché pour une autre excellente raison: l'accent français excepté, Célia est une anagramme d'*Alice*. Il s'empressa d'expliquer la signification de ce nouveau mot à la principale intéressée. Il y voyait, plus qu'une amusante coïncidence, une volonté du destin. Les mathématiciens n'aiment pas le hasard et préfèrent le nier lorsque leurs sentiments sont en cause.

Célia, pour sa part, n'aimait pas jouer les mannequins juniors et se faire assimiler à une autre, ne serait-ce que par mégarde. Elle boudait. Et face aux exigences persistantes du photographe, elle devint hostile.

— *Maman*, me dit-elle en aparté et en français, *si ça continue, je vais envoyer monsieur Oddsong péter dans les fleurs avec ses photos!*

Il l'avait entendue et le contenu du message confidentiel l'intrigua.

— Envoyer péter dans les fleurs? *What does she mean?!*

Ce n'était pas le genre d'expression typiquement québécoise que je souhaitais lui apprendre en prévision de nos fréquentations. Elle ne comporte d'ailleurs aucun équivalent en anglais, sauf peut-être le *go to hell!* Ma fille, qui ne tenait plus en place, sauta sur l'occasion pour se livrer à un petit excès de vulgarité libératrice.

— Vous voulez savoir ce que ça veut dire? Eh bien! regardez! lança-t-elle avant d'aller s'accroupir au-dessus d'un rosier et, jupe retroussée, émettre avec la bouche un bruit sans équivoque.

Elle se rebellait contre toutes les minauderies qu'on venait de lui infliger. N'importe qui se serait, comme moi, esclaffé de rire devant la scène, plutôt que de déplorer le manquement à la bienséance. Pas monsieur Oddsong. Il se figea dans une hébétude indignée.

La triviale réalité du geste exécuté par son sujet lui avait coupé l'inspiration. Il ne se remit à bouger que pour ranger son matériel avec une mine d'enterrement. Soulagée mais malgré tout un peu honteuse, ma fille préféra s'éclipser dans la maison pour me laisser arranger la situation. Je rompis un silence glacial.

— Il ne faut pas lui en vouloir, Monsieur Oddsong. Vous savez comment sont les enfants. Même les petites demoiselles les mieux éduquées ont parfois des comportements disgracieux lorsqu'on leur demande plus qu'elles ne peuvent donner.

— Mes jeunes amies anglaises sont habituellement plus coopératives, invoqua-t-il à sa défense.

— N'oubliez pas que Célia a du sang latin dans les veines, qu'elle tient de moi. De là son côté impétueux, ses réactions imprévisibles. Cette spontanéité a ses charmes, vous en conviendrez?

Il acquiesça après quelque hésitation. J'opérai un rapprochement stratégique avec ma chaise pliante. Il ne pouvait plus éviter mon regard à moins de détourner la tête. Je m'appliquai à lui communiquer de façon non verbale l'idée que le sang latin en moi, activé par les sentiments qu'il m'inspirait, m'inclinait à des gestes tendres et qu'il se devait d'en profiter sans plus tarder.

Je n'attendais qu'un signe d'encouragement de sa part.

Le message passa. Mes mains allèrent à la rencontre des siennes pour, cette fois, en devenir captives. Nous étions à un doigt de nous tomber dans les bras l'un de l'autre. Ses dernières réticences s'effritaient grâce à ce moment d'intimité inespéré: j'avais réussi à lui faire oublier Célia! Il regardait à présent mon décolleté, mes épaules, mes lèvres offertes avec un début de saine convoitise. Un premier baiser aurait suffi à libérer les grandes effusions, j'en suis convaincue.

Le sort en a décidé autrement, hélas! Du jardin, nous avons entendu le téléphone sonner. Je n'ai pas bougé, en espérant que la distraction ainsi occasionnée chez le professeur serait de courte durée. C'était sans compter avec le zèle de ma pichounette qui voulait se faire pardonner son écart de conduite.

— MAMAN on te demande au TÉLÉPHONE, cria-t-elle par la fenêtre arrière. Je ne sais pas qui c'est, mais ça a l'air IMPORTANT!

C'était le préposé à la location des résidences étudiantes de l'Université d'Ottawa. Une avarie causée par une fuite dans la tuyauterie forçait les autorités à diriger plusieurs chambreurs vers d'autres établissements aux tarifs raisonnables, situés à proximité. Le *Cozy Guests House* pouvait-il en recevoir quelques-uns? Sans réfléchir, j'ai déclaré avoir de la place pour quatre. L'individu à qui je venais de rendre un fier service précisa en toute innocence qu'il m'envoyait des collégiens membres d'une équipe de football de

Sudbury, venue disputer un match à nos champions locaux. Je flairais le danger, mais il était trop tard pour refuser sans motif valable.

J'ai préparé de mon mieux monsieur Oddsong à l'idée qu'il partagerait l'étage, cette nuit-là, avec de jeunes sportifs qui, selon toute vraisemblance, se coucheraient tôt pour être en pleine forme dimanche. Il manifesta de l'inquiétude, à juste titre. Cinq minutes plus tard, alors que nous venions à peine de renouer le fil délicat de notre entretien, le coach de l'équipe des «Warriors» de Sudbury débarquait chez moi avec quatre joueurs surexcités. Ils ressemblaient à des singes fraîchement sortis d'un zoo. Bruyants, grossiers dans leur langage et dans leurs manières, dotés d'une force physique qu'on les sentait enclins à exercer sans discernement ni ménagement, ils incarnaient assurément tout ce que monsieur Oddsong détestait du plus profond de son être.

De fait, en regagnant à son tour la maison pour monter à sa chambre, le professeur blêmit d'horreur en voyant les nouveaux arrivants. Je crus bon de le leur présenter au passage; ils protestèrent avec éclat à l'énoncé de son titre d'enseignant et de son état d'ecclésiastique. Rieurs, ils expliquèrent ne surtout pas vouloir entendre parler de leçons ou de sermons pendant le week-end.

Quand le cher homme redescendit une minute plus tard en précisant, à ma demande, qu'il allait rapporter le matériel photographique au magasin, les jeunes écervelés se moquèrent de son bégaiement réactivé, et ce, malgré les rappels à la politesse de leur coach. J'accumulais les gaffes. Le dernier regard que Charles Oddsong m'a adressé était chargé de reproches, comme si je venais de troquer notre fragile amitié contre un plat de lentilles.

Il est parti avant que j'aie pu lui relancer l'invitation pour le souper. A-t-il conclu que notre arrangement ne tenait plus à cause des nouveaux chambreurs ou entendait-il me punir pour la fâcheuse tournure des événements en boudant mon hospitalité? Célia et moi l'avons attendu en vain.

Comme le temps passait, je me disais que du restaurant, il était allé au concert ou à une pièce donnée en anglais au Centre national des arts — il nous avait affirmé aimer beaucoup le théâtre de Shakespeare. J'escomptais le revoir sous peu, dans de meilleures dispositions.

Mes footballeurs reçurent la visite de leurs coéquipiers qui logeaient à l'université. Le plancher se mit à craquer sans répit sous leur va-et-vient et les vieilles cloisons n'arrivaient plus à étouffer les cris. Un ballon rebondissait sur nos têtes à l'occasion. Mon tour était venu de goûter aux revers du métier. J'appréhendais des dommages au mobilier, des taches majeures à nettoyer sur les tapis, qui arracheraient des lamentations à Sally.

La perte fut d'une tout autre nature et bien plus regrettable: la perspective de passer plusieurs heures dans le voisinage immédiat de sauvages dut paraître insupportable à monsieur Oddsong qui n'est revenu que le temps de plier bagage et de filer à l'anglaise. Impossible de reconnaître son pas dans le vacarme ambiant. En fin de soirée, je me suis décidée à monter pour intimer à la bande l'ordre de se calmer, à défaut de quoi j'étais prête à appeler la police pour la faire expulser. C'est alors que j'ai constaté l'entrebâillement de la porte de chambre du professeur et l'absence de ses effets personnels.

Dire que s'il s'était montré à nouveau, je lui aurais offert de coucher en bas, dans la chambre de Célia! Elle se serait fait un plaisir de lui prêter son lit à une place pour venir se blottir dans le mien. Et qui sait si je n'aurais pas bénéficié d'un changement de partenaire les nuits suivantes…

○

C'était trop bête de se quitter ainsi.

J'ai confié Célia à la garde de Sally, venue d'urgence, et je suis partie à la recherche du fugitif.

Tout me portait à croire qu'il avait préféré quitter la ville le soir même plutôt que de se trouver un autre gîte. Il avait parlé de visiter Montréal ou Toronto. Un coup de téléphone à la gare d'Ottawa m'apprit qu'aucun train ne partait pour ces destinations après six heures. Au terminus des autocars Voyageur où je me suis rendue, il n'y avait pas de Charles Oddsong en vue et l'appel lancé par les haut-parleurs demeura sans résultat. De plus, aucun préposé au guichet ne se souvenait d'avoir vendu un billet à un voyageur répondant à son signalement.

Il restait l'aéroport, où j'ai abouti vers minuit. Monsieur Oddsong avait pu être tenté de se procurer une place à la dernière minute pour retourner au pays, mais il n'y avait pas de vol à destination de l'Angleterre ce soir-là. J'effectuai ma petite enquête auprès des employés; le nom et la description de mon ex-chambreur n'éveillèrent chez eux aucun souvenir. Je sentais pourtant que, sympathiques à ma cause, tous auraient bien voulu me venir en aide.

Près des guichets, j'ai aperçu une fillette qui semblait se désennuyer en observant attentivement les voyageurs. Elle était assise entre deux piles de bagages, près d'un couple qui somnolait dans l'attente de Dieu sait quel avion. Je me suis dit que si monsieur Oddsong était passé par là, elle l'avait sans doute remarqué. Peut-être même avait-il pris l'initiative de lui parler pour chercher un peu de réconfort avant le décollage. Je me mettais à sa place, en somme; je m'efforçais de penser comme lui.

La petite m'a dévisagée avec un air égaré, puis a prononcé quelques mots dans une langue étrangère. Je me suis sentie tout à coup très fatiguée et consciente de l'absurdité de ma démarche.

Monsieur Oddsong avait disparu sans laisser d'autre trace qu'un petit message en français déposé sur la commode de la chambre et qui ne fut retrouvé que le lendemain par notre femme de ménage:

Adieu, chere Celia, adieu!

Il avait oublié les accents.

7

Le voyage dans
le bardo

— **C**'est écrit à l'endos d'un coupon de magasin de photographie, constata la docteure Bilodeau en examinant le bout de papier que je venais de lui présenter.

La psychologue avait écouté mon récit avec une grande attention, sans m'interrompre. Quant à Célia, elle était intervenue de moins en moins souvent, jusqu'à se laisser vaincre par le sommeil — non hypnotique cette fois —, la tête appuyée contre la banquette du restaurant presque désert. Ma pichounette n'avait pas l'habitude de veiller aussi tard.

— Les photos prises par monsieur Oddsong sont devenues un cadeau d'adieu, en raison de son départ précipité, expliquai-je à voix basse à la docteure Bilodeau. Le magasin a téléphoné au *Cozy* quelques jours plus tard pour dire qu'elles étaient prêtes. Je suis allée les chercher en demandant qu'on me laisse le coupon, devenu précieux à cause du message manuscrit... Certains de ces portraits sont très réussis, malgré un manque de spontanéité dans l'ensemble.

À l'appui de mon affirmation, je sortis de mon sac à main celui de Célia que je préférais. Un plan rapproché où elle fixait l'objectif avec une tendresse manifeste pour le photographe, avant qu'il ne commence à lui casser les pieds avec ses caprices.

— C'est d'une vérité saisissante, convint mon interlocutrice. Je voudrais savoir si monsieur Oddsong apparaît sur l'un ou l'autre des clichés.

— Non, il n'en avait pas manifesté le désir et je n'ai pas pensé à le lui proposer. J'avais plutôt hâte que ça finisse. De toute façon, il aurait pu se servir du déclencheur à distance s'il avait voulu poser, avec ou sans nous. C'est dommage tout de même de ne pas avoir de souvenir plus concret de lui que ce fragment d'écriture...

— Sans compter qu'un portrait aurait facilité les recherches, observa la psychologue. Je suppose que vous lui avez écrit à Oxford?

— Bien sûr, il y a trois mois. La lettre est demeurée sans réponse! En plus, le lendemain de son départ, j'ai essayé de le retracer en prenant contact avec tous les *bed and breakfast* et les quelques hôtels d'Ottawa-Hull où il aurait été susceptible de se loger, ne serait-ce que pour une nuit. Sans résultat. Il semble s'être volatilisé comme un fantôme!

— Et si vous aviez eu affaire à un excentrique qui se serait forgé une fausse identité, ou à tout le moins une fausse origine? Ne pouvait-il pas s'agir d'un résident de la région qui voulait seulement s'amuser à vos dépens et qui a préféré déguerpir quand le jeu est devenu trop compliqué ou trop sérieux?

Bien qu'elle ait été avancée avec beaucoup de ménagement, cette hypothèse ne manqua pas de soulever mes protestations.

— À aucun moment je n'ai eu l'impression qu'il jouait la comédie. Je suis convaincue qu'il ne mentait pas! Pas sur l'essentiel, en tout cas. Seul un mathématicien anglais pouvait parler et agir de cette façon!

La psy accueillit ma déclaration avec un sourire apaisant. L'empressement que je mettais à défendre l'intégrité morale de mon ex-chambreur en disait long sur les sentiments que j'entretenais à son égard. Je chérissais jalousement sa mémoire.

— J'avoue que l'hypothèse du charlatan ne me satisfait pas non plus, reprit-elle. Par ailleurs, j'ai beau être convaincue de l'existence des phénomènes paranormaux, pour en avoir été témoin à plusieurs reprises dans l'exercice de mes fonctions, je ne crois pas que votre monsieur Oddsong puisse entrer dans la catégorie des fantômes ou des revenants. J'entends par là les esprits de défunts qui, pour une raison ou pour une autre, se matérialisent aux yeux des humains. Leurs apparitions ne durent en général que quelques secondes ou quelques minutes; elles impliquent rarement le dialogue et presque jamais le toucher. Dans votre cas, les rencontres se sont succédées pendant une semaine complète en donnant lieu à de nombreuses conversations et à des contacts occasionnels. D'autres personnes que vous-même et votre fille ont vu ce monsieur à différents moments, dans divers contextes: le jeune Matthew, la femme de ménage, les joueurs de football turbulents, le personnel du magasin de photographie.

«Lors de notre dernier entretien avant la séance d'hypnose, vous m'avez bien dit qu'il n'y avait pas eu jusque-là, dans votre existence à toutes les deux, le moindre incident qui aurait pu présager une manifestation paranormale de cette ampleur? Pas de rêve prémonitoire ou de transmission de pensée de nature télépathique, aucune interférence de courant insolite ni aucun déplacement d'objet inexpliqué?»

Je lui assurai qu'à ma connaissance, rien de tel n'avait jamais été associé de près ou de loin à mon enfant, pas plus qu'à moi-même. Il n'y avait d'extraordinaire à signaler que sa récente incursion dans l'au-delà. Et à regarder le «sujet» en train de dormir sur la banquette en ce moment, avec une expression angélique, on ne pouvait entretenir le moindre doute quant à son innocence et sa normalité, n'est-ce pas? Personne non plus parmi ses ancêtres, que ce soit de mon côté ou de celui de Stephen, n'avait été soupçonné de fréquenter des entités surnaturelles ou de se livrer à la sorcellerie, ai-je précisé pour liquider la question...

La docteure Bilodeau exprima l'opinion que Charles Oddsong était un être normal, lui aussi, un homme bien réel en chair et en os, mais dont les origines et la disparition subite posaient un problème, comportaient une part de mystère. Qu'était-il advenu de lui exactement? La seule chose dont nous puissions être certaines demeurait, hélas, son décès.

— La reconstitution hypnotique à laquelle s'est prêtée votre fille le prouve, insista-t-elle. On ne rencontre que des défunts au cours d'une expérience de décorporation; toutes les recherches concordent sur ce point. Nous supposerons, jusqu'à preuve du contraire, qu'il a trouvé la mort peu après son départ de votre maison. Comme Célia joue un rôle de premier plan dans toute cette histoire et qu'elle répond bien à l'hypnose, je vous propose de poursuivre l'expérience. En explorant son subconscient, nous découvrirons peut-être la clef de l'énigme.

— Que comptez-vous tirer au juste du subconscient d'une fillette de dix ans?

— Des souvenirs oubliés de précédentes rencontres avec monsieur Oddsong, que ce soit dans sa vie présente ou dans ses incarnations antérieures.

Stupéfaction et appréhension. J'avais entendu parler de la théorie selon laquelle chaque être humain se réincarnerait plusieurs fois au fil des siècles, mais de là à pouvoir en prendre connaissance par l'hypnose! N'était-ce pas là courir au-devant des embêtements? La docteure Bilodeau s'employa à me rassurer. Ce type d'investigation mentale ne comportait aucun risque pour mon enfant si l'on se conformait aux règles de l'art. Et elle connaissait son métier; je pouvais lui faire confiance.

Nous avons convenu de nous rencontrer à nouveau dans deux semaines. Entre-temps, notre psy se proposait d'effectuer des vérifications et des recherches plus poussées sur le professeur Oddsong. L'homme lui rappelait quelqu'un de décédé justement, qu'elle ne connaissait pas personnellement mais de réputation. Elle ne voulut pas m'en dire davantage ce jour-là, de crainte de m'aiguiller sur une fausse piste. Elle estimait de plus — et avec raison — que j'avais atteint mon point de saturation sur le plan émotionnel.

○

De retour à Ottawa, Célia ne cessa pas de parler de monsieur Oddsong, rencontré ici-bas en juin, revu «au ciel» à la fin de l'été puis en état d'hypnose au tout début de l'automne.

Elle anticipait le plaisir de le revoir bientôt...

Je lui avais pourtant dit, sur la recommandation même de la docteure Bilodeau, que nous ne retournerions consulter l'hypnothérapeute que pour renouveler la suggestion destinée à soulager son asthme. Ce n'était qu'un demi-mensonge de notre part, une précaution visant à lui faciliter la reprise d'une existence normale de petite écolière. Mais il faut croire que ma pichounette ne voulait plus d'une telle existence, sans histoire et sans merveilleux.

Je ne réussis pas davantage à chasser l'image de Charles Oddsong de mon esprit, même en vaquant à mes occupations régulières de logeuse et de traductrice spécialisée. Je cherchais à le reconnaître dans la rue et chaque appel téléphonique ou coup de sonnette accélérait mon rythme cardiaque. Mon petit radar personnel semblait détecter sa présence à mes côtés pendant que je bûchais sur un texte traitant des systèmes de navigation aérienne. Il me suivait jusqu'à mon chevet, se glissait entre mes draps, sur mon invitation pressante, et s'immisçait dans mes rêves les plus secrets...

○

La seconde séance d'hypnose ne débuta pas dès notre arrivée au cabinet de la docteure Bilodeau. La psychologue m'annonça qu'elle avait beaucoup d'informations à me communiquer, d'une manière confidentielle. Aussi Célia attendit-elle dans une pièce séparée en dévorant les albums de B.D. que la secrétaire mettait à la disposition de la clientèle.

La jeune femme montrait des signes de grande excitation, car notre affaire, avoua-t-elle, surpassait en étrangeté tout ce qu'elle avait connu et peut-être même tout ce dont elle avait pu prendre connaissance dans l'abondante littérature consacrée à ce sujet.

— En premier lieu, je suis contente de vous apprendre, à la suite de mes vérifications auprès des autorités policières, qu'aucun cadavre non identifié et correspondant au signalement de Charles Oddsong n'a été envoyé à la morgue de la municipalité d'Ottawa. Du moins pas durant les deux semaines qui ont suivi sa disparition. On ne trouve pas non plus de mention de ce nom dans la rubrique nécrologique des journaux locaux que je suis allée consulter aux archives de la bibliothèque par acquit de conscience.

— Peut-être vit-il encore, alors? fis-je dans un élan d'espoir.

— Non, non, corrigea doucement la docteure, l'hypnose ne saurait mentir. Monsieur Oddsong est décédé, mais pas dans les circonstances auxquelles on se serait attendu dans le cas d'un voyageur solitaire ordinaire, charlatan ou non. Et c'est justement parce que je le soupçonne de ne pas être ordinaire qu'il ne faut pas exclure complètement la possibilité que vous le revoyiez un jour...

— Vous m'avez pourtant affirmé ne pas croire qu'il s'agissait d'un... fantôme, dans notre cas.

— En effet, ce serait un phénomène encore plus insolite advenant que mon hypothèse s'avère fondée. Et vous allez pouvoir me fournir la réponse tout de suite... En menant des recherches d'un genre bien différent, dans ma propre bibliothèque, j'ai trouvé le portrait d'un gentleman anglais qui correspond en tous points à la description physique et mentale que vous m'avez faite de votre ex-chambreur. J'aimerais que vous l'examiniez avec soin...

Elle me présenta un livre ouvert sur une page comportant une photographie en noir et blanc d'aspect vieillot. Je reconnus tout de suite le professeur Oddsong, un peu plus âgé. Il était assis avec une nonchalance étudiée sur un sofa en velours de soie et portait l'habit foncé de clergyman dans lequel je l'avais vu la première fois. Même expression de mélancolie tempérée par un demi-sourire narquois. Quelques rides conféraient encore plus de distinction à sa physionomie. Le bouquin en question était une biographie de Lewis Carroll, l'auteur des célèbres aventures d'*Alice au pays des merveilles* (*Alice's Adventures in Wonderland*).

Constatant ma stupeur, la psy sut qu'elle avait vu juste. Elle entreprit aussitôt de satisfaire ma curiosité quant à la manière dont sa découverte s'était effectuée.

Au fur et à mesure que je progressais dans mon récit, lors de ma précédente visite, elle avait cru reconnaître des particularités dans le comportement de monsieur Oddsong, sans pouvoir l'associer à un nom ou à un visage. Le déclic s'était fait dans son esprit quand j'avais rapporté la confusion des prénoms Célia et Alice par le professeur. Celui-ci avait invoqué comme excuse le caractère «anagrammatique» des prénoms en question ainsi que la ressemblance des fillettes qui les portaient. En jonglant avec les lettres, la docteure Bilodeau n'avait pas tardé à découvrir qu'*Oddsong* était aussi une anagramme de *Dodgson*, le véritable nom de famille de Lewis Carroll... Mis à part ce petit stratagème destiné à garantir l'incognito, tous les autres détails rapportés par moi et confirmés par ma fille s'avéraient conformes à la réalité historique du personnage. À savoir: le titre de révérend, la fonction de professeur dans un collège pour garçons d'Oxford, le bégaiement occasionnel, le célibat persistant, le goût pour les inventions et les problèmes de logique présentés sous la forme de devinettes. Sans oublier la passion pour la photographie, alors naissante, et par-dessus tout, une incommensurable affection pour les fillettes, sa préférée ayant longtemps été une dénommée Alice Liddell — l'inspiratrice de son chef-d'œuvre littéraire.

Personnellement, je n'avais jamais été capable d'apprécier *Alice au pays des merveilles* dans mon enfance. Trop de symboles et de jeux de langage se référaient au contexte social et culturel d'une époque qui m'était alors étrangère. Le point de départ ne manquait pas d'attrait cependant, non plus que les illustrations dans l'édition originale, et j'entretenais le vague projet d'essayer de la relire un jour en compagnie de Célia...

La docteure Bilodeau affirma pour sa part avoir trouvé très tôt dans *Alice...* et sa suite, *De l'autre côté du miroir*, un intérêt psychanalytique. Le phénomène de projection de l'auteur dans sa jeune héroïne, à travers une multitude de péripéties remplies de fantaisie, avait impressionné sa mémoire et sa sensibilité de future spécialiste du comportement. C'est ce qui lui avait permis d'effectuer le rapprochement avec le Charles Oddsong dépeint dans le récit de nos propres «aventures».

Sa perspicacité suscita mon admiration, mais ma perplexité atteignait un sommet.

— Vous auriez fait une fameuse détective, Docteure Bilodeau. J'espère maintenant que vous avez un début d'explication raisonnable de tout cela. Charles Oddsong, alias Charles Dodgson, alias Lewis Carroll, de son nom de plume, est décédé depuis belle lurette, que je sache!

— En 1898 précisément, à l'âge de soixante-six ans. D'une bronchite.

— Comment aurait-il pu atterrir à Ottawa près de cent ans plus tard et y faire son numéro de séduction auprès de Célia… en m'embarquant dans son manège du même coup?

— Je trouve révélateur que vous ayez employé les termes «atterrir» et «embarquer», releva finement la docteure. Votre inconscient suggère déjà une réponse à votre question, que la raison toutefois se refuse à considérer comme plausible! Les voyages dans le temps relèvent de la science-fiction et l'idée qu'un digne professeur et ecclésiastique du siècle dernier ait pu se transporter jusqu'à notre époque, dans un autre pays, grâce à une machine quelconque apparaît de prime abord loufoque.

«Pourtant, en y regardant de près, il y a plein de détails qui tendent à prouver le caractère anachronique de votre monsieur Oddsong. Vous avez observé qu'il semblait tour à tour stimulé puis déçu par ses découvertes dans un environnement qui, en fait, aurait dû présenter beaucoup de similarité avec celui qu'il venait de quitter! Il se cantonnait de plus en plus dans votre maison si accueillante, comme dans un abri. Il a fini par avouer que Célia et vous étiez tout ce qui le retenait dans la capitale.

«D'autres de ses propos que vous m'avez rapportés témoignent de son inadaptation, de son rejet du monde extérieur contemporain dans l'ensemble. Les manifestations les plus spectaculaires de notre évolution n'étaient visiblement pas synonymes de progrès à ses yeux. Par exemple, il détestait la télévision, qui sous-estime le niveau d'intelligence du public et finit par tuer toute créativité chez les plus intoxiqués. La prolifération des automobiles semblait le contrarier; il préférait la marche et, pour les longs déplacements, le train. C'était un homme cultivé mais qui ignorait plusieurs mots associés à de récents développements dans notre civilisation, tel le banal ventilateur électrique… Et j'ai bien l'impression que si vous lui aviez parlé de la théorie de la relativité d'Einstein ou des œuvres d'un Salvador Dali, il aurait été pris au dépourvu! Bien sûr, il s'en serait tiré avec une pirouette verbale, une diversion humoristique. Vous lui laissiez souvent l'initiative de la conversation, d'après ce que j'ai pu comprendre. Il en profitait pour aborder des sujets qui lui étaient familiers, pour vous emmener dans un passé qui constituait en réalité son présent.»

Je voulus me faire l'avocate du diable.

— Raison de plus pour le croire incapable d'inventer une machine à voyager dans le temps! L'état des connaissances et la technologie de l'époque victorienne rendaient absolument impossible un tel exploit, ne pensez-vous pas?

La docteure Bilodeau avait vu venir mon objection. Elle se mit à arpenter son bureau, l'index dressé, et l'esquisse d'un sourire malicieux vint rehausser la sagacité de son regard.

— Je suis d'accord avec vous: il ne s'agit probablement pas d'une machine au sens où on l'entend généralement. Charles Lutwidge Oddsong n'était pas un ingénieur ou un physicien mais un mathématicien d'avant-garde. On sait qu'il s'intéressa à l'occultisme et à la quadrature du cercle. Au lieu de concevoir un engin temporel sophistiqué, basé sur le même principe qu'un avion ou qu'une fusée — comme on a coutume d'en représenter dans les ouvrages de science-fiction —, il a peut-être découvert, à force de calcul, l'équation miraculeuse, la formule magique lui permettant d'arriver au même résultat! Un moyen de locomotion dans la quatrième dimension qui ne nécessiterait pas une goutte de combustible fossile, pas une parcelle d'énergie électrique ou nucléaire, seulement la puissance de son esprit...

Un témoin réfractaire à toute remise en question de la notion de réel, à l'élargissement de ses frontières au-delà de l'univers matériel aurait déduit de notre discussion que nous étions mûres pour l'internement! Nous nagions dans la spéculation fantaisiste, certes; l'essentiel était de ne pas s'y noyer. La thèse de la docteure Bilodeau présentait suffisamment de cohérence dans l'invraisemblable pour emporter mon adhésion provisoire. D'autant plus que je n'avais rien de mieux à avancer comme explication... Je me refusais bien entendu à admettre la possibilité que nous ayons pu être induites en erreur par un sosie du révérend Dodgson, qui se serait amusé à imiter le personnage dans ses moindres manies pour ensuite trouver la mort dans des circonstances obscures. Quelle satisfaction aurait-il tirée de sa mystification, puisqu'il ne pouvait pas prévoi que nous «reconnaîtrions» le Lewis Carroll qu'il incarnait?

Je me souvenais du vif intérêt qu'avait suscité chez monsieur Oddsong l'exploitation du thème de la machine à voyager dans le temps dans l'album du professeur Mortimer traduit par Célia. Ses commentaires élaborés indiquaient qu'il en savait long sur le sujet. Plusieurs autres bizarreries relevées dans le comportement du voyageur trouvaient une explication sous ce nouvel éclairage. Je pense notamment à son arrivée chez nous avant la période habituelle des vacances pour les enseignants, à son ignorance des règles du Scrabble alors qu'il se prétendait grand amateur de jeux de société, à sa méconnaissance de certains termes récents pourtant fort répandus, à l'oubli de son appareil-photo...

D'autres problèmes se posaient par contre, advenant que Charles Dodgson ait réellement effectué un tel bond dans le temps pour ensuite réintégrer son époque et poursuivre le cours normal de son existence. J'estimais son âge à quarante ans environ, au moment de sa visite. Il provenait donc de l'année 1872, après la parution d'*Alice* et *De l'autre côté du miroir*.

Qu'est-ce qui l'empêchait alors de prendre connaissance de ses principales œuvres à venir — *Sylvie et Bruno* et *La chasse au Snark*, m'apprit mon interlocutrice — en se rendant dans n'importe quelle bonne librairie d'Ottawa ou à la bibliothèque publique? En théorie, il aurait même pu acheter un exemplaire et les emporter dans ses bagages pour s'éviter la peine de les écrire, justement... Absurde, non?

— C'est surtout impensable, répliqua la docteure Bilodeau. Jamais un gentilhomme comme Lewis Carroll ne se serait abaissé à tricher de la sorte. L'acte de création aurait pour lui perdu tout son sens en même temps que sa source première. Et il est probable que les objets matériels, tels les livres, les photos, ne peuvent franchir la barrière temporelle à *rebours* de la même façon que les êtres vivants. Cela expliquerait pourquoi vous avez hérité des fameux portraits.

— Mais une telle expérience doit avoir laissé des traces dans sa vie ou dans ses écrits! En plus des œuvres littéraires, je suppose qu'il tenait un journal et rédigeait une correspondance; y a-t-on relevé des choses concernant les voyages dans le temps? Des allusions à des recherches ou à des projets en ce sens, à défaut de comptes rendus explicites...

— Je n'ai rien trouvé de révélateur sur ce sujet dans ce qu'il m'a été donné de lire. On ne peut tirer de conclusion pour autant, puisque plusieurs tomes manquent à son journal — des années complètes. Certains croient que des héritiers de Carroll ont soustrait des passages compromettants pour lui, en ce qui concerne ses relations avec les fillettes. Ces confessions qui risquaient d'entacher la réputation du révérend Dodgson, si elles ont existé, étaient peut-être d'une tout autre nature. La narration d'un séjour à l'étranger vers la fin du vingtième siècle l'aurait fait passer, au mieux, pour un halluciné! Reste que son œuvre joue beaucoup avec la notion de temps. Toutes les aventures d'Alice ne durent que le temps d'un rêve. Ailleurs, le temps réel et le temps imaginaire se chevauchent et se contractent à volonté. On peut y voir une influence indirecte d'une incursion de l'auteur dans la quatrième dimension. Il a ouvert la voie à une perception non limitative du temps, où les faits dépendent du champ de conscience de l'observateur.

J'étais presque disposée à l'admettre. Toutes ces suppositions tendaient à faire la lumière sur la manière dont le phénomène avait pu se produire et être vécu par notre voyageur. L'autre question fondamentale demeurait le «pourquoi» d'une telle visite de sa part à ce moment-là et à cet endroit précis, c'est-à-dire en 1990, sous mon toit. Était-ce un simple hasard ou le résultat d'une attirance plus ou moins consciente?

La psychologue réitéra sa conviction que la seule réponse possible se trouvait dans le passé de ma fille. Sans plus tarder, elle désirait procéder à l'exploration de la mémoire lointaine de Célia au moyen de régressions successives en état d'hypnose soigneusement contrôlée. Elle me fit l'effet d'une chercheuse de trésor réclamant la permission d'ouvrir un alléchant coffret découvert en terre étrangère...

Le feu vert fut transmis à la secrétaire et une pichounette coopérative fit son entrée dans le bureau. Inconsciente du caractère fantastique de l'expérience qui l'attendait, elle avait la tête encore pleine des aventures non moins fantastiques qu'elle venait de lire en luttant contre une aggravation des symptômes de l'asthme qui motivait officiellement notre visite.

○

— La première séance est toujours la plus ardue. Après, l'hypnose agit de plus en plus rapidement et efficacement. Voyez comme son sommeil est profond...

La docteure Bilodeau concentra son attention sur sa main placée au-dessus de la jambe droite de Célia, étendue sur le dos en position de détente parfaite. Je vis la jambe se lever de quelques centimètres, comme aimantée par le fluide émanant de l'hypnothérapeute. Sur son invitation, j'essayai à mon tour, mais rien ne bougea. Ma fille n'aurait pas obéi davantage à mes commandements verbaux dans son état de transe. Elle était sous la dépendance exclusive de la spécialiste, avec laquelle je pouvais converser à certains moments sans nuire à la bonne marche de l'opération.

Furent passés au crible les souvenirs de la petite enfance de Célia, dont plusieurs avaient déjà été évoqués à la suite de sa «décorporation». Monsieur Oddsong n'y figurait pas; c'était tout ce qu'il nous importait de savoir. Par ailleurs, la psy ne jugea pas utile de lui faire revivre ses récents échanges avec le professeur, estimant qu'ils seraient en tous points conformes à ses dires à l'état de veille.

Elle remonta au stade prénatal de ma fille…

Je pus la découvrir telle qu'elle était dans mon ventre, quelques mois après sa conception: le pouce à la bouche, le corps recroquevillé en position fœtale. Elle n'émit aucun son, se contentant de reproduire cette attitude d'abandon et de bien-être semi-végétatifs caractérisant les bébés en gestation. Une immobilité entrecoupée de secousses dans les membres.

Ce bond en arrière de dix ans et quelques mois en quelques minutes ne constituait qu'une période de réchauffement pour la docteure Bilodeau. Le vrai travail débuta ensuite, dirigé vers les plages les plus profondes de l'inconscient, où seule une minorité de personnes arrive à se poser sans heurt. C'est ainsi que Célia régressa jusqu'à une période précédant son incarnation actuelle…

Elle accédait à l'extase; sa frimousse rayonnait de bonheur. Une réaction similaire à celle provoquée par la vision des «esprits» dans l'au-delà, mais qui semblait là vouloir se prolonger à l'infini, sans l'intervention de figures connues. Sans qu'aucun événement particulier ne vienne troubler la sérénité du lieu.

À l'invitation de la docteure à raconter ce qu'elle vivait, ma fille ne put répondre que par des impressions décousues, traversées de gloussements et de soupirs de ravissement:

— Tout est formidablement beau et il y a plein d'anges comme moi autour... On dirait que je vois partout à la fois, sur la terre et au loin. Des paysages extraordinaires! J'entends aussi une musique et des chants doux, incroyablement doux... Je ne me suis jamais sentie aussi bien!

La docteure Bilodeau la laissa baigner dans l'euphorie, le temps de me fournir des explications très attendues.

— La splendeur de l'univers auquel a accès Célia en ce moment échappe à toute description objective, confirma-t-elle. Dans le langage métapsychique, on appelle «bardo» cet habitat naturel de l'âme une fois libérée du corps. Votre fille en avait déjà eu un aperçu dans son expérience de décorporation; elle s'était rendue dans le hall d'entrée en quelque sorte, mais il s'agissait d'une fausse alerte...

«La béatitude que chacun est appelé à connaître dans le bardo dépend du degré d'évolution qu'il a atteint grâce à ses incarnations successives. Les Hindous, vous le savez sans doute, donnent le nom de karma à ce cheminement graduel de l'être qui porte toujours la responsabilité de ses actes. Les passages sur terre servent essentiellement à accumuler des connaissances, à réparer des erreurs commises dans des vies antérieures, à améliorer de façon générale nos rapports avec autrui, dans le but de progresser sur le sentier lumineux de la sagesse et de l'amour. Telles sont les valeurs absolues, d'essence divine, qui justifient notre existence.

«Dans le bardo, nous choisissons dans une certaine mesure notre prochaine incarnation, en fonction des objectifs à atteindre et avec les conseils d'un groupe de sages, selon les témoignages recueillis auprès de personnes qui se sont engagées à fond dans une thérapie hypnotique. Nous nous réincarnons parfois en compagnie des mêmes êtres mais en développant des liens différents avec eux, histoire de régler des comptes... Avant même de naître, nous avons donc une assez bonne idée de ce qui nous attend, de la tâche à accomplir. C'est lorsque l'incarnation se réalise que tout notre savoir et tous nos souvenirs s'effacent de notre mémoire consciente.»

— Pourquoi? m'étonnai-je avec un brin d'indignation. Ce serait si instructif de savoir d'où nous venons et de pouvoir nous accrocher à la certitude d'une continuité de notre existence!

La psy s'assura d'un geste de la main que le contact magnétique avec ma fille se maintenait, avant de répondre, à la lumière de ses connaissances et de ses convictions.

— Toutes les informations accumulées dans les divers paliers du karma surchargeraient notre cerveau et nuiraient à notre liberté fondamentale de choisir. Notre présente vie n'a de sens et de valeur que dans la mesure où elle nous permet d'effectuer un travail sur soi à partir de rien. Nous sommes comme des élèves qui subissent une série de tests, d'épreuves pour mériter de grimper d'un échelon lors du retour au bercail céleste, une fois le dernier souffle rendu. Les réponses ne doivent pas être divulguées en cours de route, sauf dans des cas exceptionnels.

Célia en constituait un, assurément. C'est bien ce qui me dérangeait et me flattait en même temps. J'avais l'impression que nous étions en train de tricher en accédant à des vérités que le commun des mortels ne pouvait que soupçonner! La foi en un monde meilleur, qui tenait lieu de savoir, ne pouvait qu'accroître les mérites dont parlait la docteure Bilodeau. Ne valait-il pas mieux alors en rester là?

Ignorant les scrupules qu'elle avait ravivés en moi, la psy concentra à nouveau son attention et son énergie sur ma fille en lui adressant la parole:

— Tu t'es bien reposée dans le bardo et tu respires à ton aise, débarrassée de ton asthme.

Tu vas maintenant poursuivre ton chemin à reculons, dans ton incarnation précédente... Avant de renaître sous le prénom de Célia en 1980, qui étais-tu? Tu vas te remettre dans la tête et dans la peau de cette autre personne à l'aide de tes souvenirs. Choisis le moment qui te plaît dans cette vie...

L'effarante directive fit grimacer Célia de déception. Elle s'arracha avec peine au bardo pour reprendre la position fœtale, en guise de transition. Il y eut une espèce de creux de plusieurs minutes pendant lesquelles ma fille parut chercher un point d'ancrage dans le passé. Soit qu'elle opposait une résistance, soit qu'elle s'avérait incapable de réaliser ce qu'on lui demandait. Son corps fut agité par de petites secousses nerveuses; elle marmonna des paroles incohérentes. On aurait dit une auditrice qui s'impatiente parce qu'elle n'arrive pas à capter correctement une station de radio... La docteure Bilodeau changea de tactique

— Prenons une année précise, Célia: 1862. En juillet, disons. Et le quatre du mois, pour être plus précis. Te souviens-tu d'avoir vécu cette journée-là quelque part sur terre?

Ma fille, les paupières toujours closes, retrouva peu à peu le sourire et une position de détente complète, allongée sur le dos, bras et jambes légèrement écartés.

— Oui, j'y suis: le quatre juillet 1862. Jamais je n'oublierai cette date... Tout me revient maintenant!

— Raconte-moi ce que tu fais, décris l'endroit où tu es.

— C'est un après-midi de congé tout ensoleillé. Je suis avec mes sœurs, Édith et Lorina. Le révérend, avec un autre monsieur, a obtenu de maman la permission de nous emmener en expédition de canot sur la rivière. Le temps est vraiment superbe et il fait bon glisser sur l'eau qui ressemble à un miroir. L'air tremble au-dessus des prairies, de chaque côté. Nous sommes toutes les trois très heureuses de passer la journée en compagnie de notre grand ami. J'ai dix ans et je suis assez grande pour diriger le canot...

— Comment s'appelle ce grand ami? Et toi, qui es-tu exactement?

— C'est le révérend Charles Dodgson, bien sûr! Et je suis Alice Liddell, la fille cadette du doyen du Christ Church College, là où le révérend enseigne les mathématiques. Je le connais depuis que je suis toute petite. Maman trouve qu'il nous rend visite trop souvent, mais on ne s'ennuie jamais avec lui. Enfin, presque jamais...

La docteure Bilodeau me décocha un sourire victorieux. Elle avait eu en tête une hypothèse follement audacieuse avant de commencer la séance, et la déclaration de Célia venait de la confirmer d'une manière éclatante. J'étais très émue de pouvoir connaître de la sorte le moi antérieur de ma fille, mais mon appréhension ne faisait que croître. Où ces indiscrétions allaient-elles nous conduire?

— Continue de raconter ce qui se passe, l'encouragea la docteure. Que dit le révérend Dodgson?

— Il nous raconte une histoire, comme il a l'habitude de le faire, en ramant derrière. C'est un conte de fées où il n'y a pas vraiment de fées, juste une petite fille qui porte mon nom et à qui il est arrivé toutes sortes d'aventures insensées dans un souterrain où elle a suivi un drôle de lapin qui parlait et qui avait une montre dans son gousset! Le lapin était pressé d'arriver quelque part; Alice voulait savoir où et pourquoi. Elle a tombé à pic longtemps, longtemps dans le terrier avant d'atterrir dans le pays des merveilles...

Puis ce fut la rencontre d'Alice avec une galerie de personnages farfelus devenus des célébrités, dont le Chat du Cheshire, le Chapelier fou et la Duchesse non moins cinglée qui envoyait tout un chacun se faire trancher la tête, pour un oui ou pour un non!

Interrompant la narration détaillée par ma fille de l'histoire de Carroll, à laquelle se mêlait l'évocation d'un goûter — bien réel, lui — sur le bord de la rivière, à l'ombre d'une meule, la docteure Bilodeau lui demanda gentiment de se reporter à une date ultérieure au cours de la même année. Nous avons ainsi eu droit à la description d'une autre journée qu'elle avait passée avec le révérend, mais seule, cette fois. ·

Célia choisit un après-midi de la fin de l'été, où le professeur photographiait son modèle préféré dans le jardin luxuriant du collège.

— Pendant qu'il a la tête rentrée sous une espèce de tente, derrière l'appareil, je dois garder la même pose plusieurs minutes, des minutes qui s'étirent comme des heures, tellement c'est fatigant! Il faut que je l'aime beaucoup pour endurer ça encore une fois... Je me demande s'il trouvera le temps de m'écrire cette amusante histoire d'Alice au pays des merveilles, comme promis. S'il prenait moins de photos, ça irait sûrement plus vite... Qu'est-ce qu'il attend? De beaux papillons de toutes les couleurs sont venus se poser sur ma tête immobile tout à l'heure; ils sont repartis avant qu'il ait pu prendre une photo. Il espère les voir *revenir* se poser sur moi. Il a même mis des fleurs dans mes cheveux pour les attirer! Mais, au lieu des papillons, ce sont des abeilles qui viennent me frôler la figure... Si je pouvais lui apporter plein de papillons sur un plateau pour le contenter!... Oui, j'aime bien le révérend, il est si gentil, mais... *sometimes he can be such a pain in the neck with his damn pictures!... I wonder if I will ever marry him later... Mother thinks he is much to old for me.*

Ce n'était pas ma Célia qui venait de bifurquer vers l'anglais! Elle avait pris un air pincé et une voix flûtée, haut perchée que je ne lui reconnaissais pas, avec un accent que, par contre, je reconnaissais trop bien. La petite fille du doyen du *Christ Church College* poursuivit:

— Mother says he should be married and have his own children by now. She also criticizes the way he kisses little girls like me — on the lips...

Je signifiai là à la docteure Bilodeau ma volonté de clore la séance. Nous en avions assez entendu, me semblait-il. Pénétrer plus à fond dans l'intimité des personnages aurait constitué un manquement à la pudeur, un acte de voyeurisme gratuit.

○

Sitôt que Célia fut réveillée, la psy la pria de retourner attendre dans l'autre pièce.

— De quoi ai-je parlé pendant tout ce temps? s'enquit ma fille, les yeux rivés sur l'horloge. Je ne me souviens de rien!

— Je me suis concentrée sur des suggestions pour soulager ton asthme, prétendit la docteure Bilodeau.

— Rien que ça pendant une heure et demie?

Pas tout à fait dupe, elle se retira en nous traitant de cachottières. Par bonheur, il lui restait deux ou trois albums prometteurs à lire, en français, s'il vous plaît.

La psy avait en fait «ordonné» à son jeune sujet d'oublier toutes les révélations faites au cours de cette séance, juste avant de procéder au réveil. J'en éprouvais un grand soulagement.

Une telle précaution éviterait à pichounette de s'exalter encore plus à l'idée d'avoir été, dans une vie antérieure, Alice Liddell, la petite muse d'un auteur de best-sellers pour enfants et... intellos. Même si je l'avais implorée de garder le secret, elle n'aurait pu s'empêcher de répandre la nouvelle et de nous attirer à nouveau des sarcasmes et des propositions choquantes.

— Dans quelques années, elle sera assez mûre pour apprendre la vérité, estima la docteure Bilodeau. Ce sera à vous de lui raconter, avec les mots qui conviennent, les événements marquants qu'elle a vécus sous une autre identité au siècle dernier, de même que son séjour dans le bardo. Il y a peu de chances pour que vous revoyiez le professeur Oddsong-Dodgson de votre vivant; au moins Célia saura qui il était exactement, sans se sentir obligée de le crier sur les toits. Elle pourra en tirer des conclusions favorables à son épanouissement spirituel. L'expérience de décorporation lui a déjà beaucoup apporté en mettant en lumière la finalité et le prolongement de toute vie humaine.

— C'est comme pour moi, vous savez. Mon scepticisme en a pris un coup avec toute cette histoire...

Je manifestai ma curiosité concernant Alice Liddell. Quelle destinée elle avait connue après avoir joué ce rôle d'inspiratrice? La docteure Bilodeau m'apprit que Carroll s'était désintéressé de sa jeune amie dès qu'elle eut atteint le stade de l'adolescence. Et pour cause! À en juger par le dernier portrait que le professeur avait fait d'elle à l'âge de dix-huit ans, à l'occasion d'une simple visite de politesse, tout le charme qui la caractérisait dans l'enfance semblait s'être évanoui. Le carcan de la morale victorienne y était sans doute pour quelque chose. Elle présentait un regard morne, presque éteint, un teint blême et des épaules affaissées, comme sous le fardeau des conventions. La jeune fille avait pris mari et ses relations avec Carroll s'étaient de plus en plus espacées. Elle continua toutefois de conserver précieusement le manuscrit original de «ses» aventures, cadeau de l'auteur à la petite fille qu'il avait tant aimée. Aucune autre, d'ailleurs, ne réussit à prendre la relève dans le cœur du révérend, au dire des proches de ce dernier… L'intensité et l'exclusivité de cette passion sublimée par l'art inspirèrent une réflexion à la psychologue, visiblement émue:

— Quel beau cadeau vous feriez à Célia en mettant par écrit vos propres aventures vécues! Vous pourriez vous aussi, lors d'une grande occasion, offrir un manuscrit en témoignage de votre affection. Et rien ne vous empêcherait de le soumettre à un éditeur…

— C'est trop extraordinaire, voyons! Personne ne nous croira.

— Bien sûr, la plupart des gens ne seront pas prêts à accorder une valeur de témoignage à votre histoire. Ils la prendront pour une œuvre de fiction, comme Alice... On dira que vous ne manquez pas d'imagination! Qu'importe; l'essentiel est que le message passe et fasse son chemin.

— Je serais bien en peine d'écrire un truc pareil, objectai-je finalement. Je ne suis bonne qu'à traduire des textes sur l'aéronautique.

— Il y a plein d'écrivains et d'écrivaines à la petite semaine qui ne demanderaient pas mieux que de vous aider.

— Je vais réfléchir à votre *suggestion*.

○

J'ai félicité et remercié chaleureusement la docteure Bilodeau pour l'excellencede son intervention. Je lui étais également reconnaissante de ne pas avoir insisté pour que je me prête à mon tour à une séance d'hypnose à caractère rétrospectif. Je préférais ménager ma tranquillité d'esprit en demeurant dans l'ignorance de mon existence précédente. Il y avait déjà celle de ma fille dont j'allais devoir tenir compte... Afin d'éviter la répétition d'un destin adulte aussi manifestement étriqué que celui d'Alice Liddell, je me promettais de ne jamais contrecarrer les volontés d'émancipation de mon enfant. Même si ces volontés-là devaient s'avérer en opposition avec mes principes de petite bourgeoise un peu puritaine. De bonnes résolutions difficiles à tenir, surtout pour un parent unique…

La docteure Bilodeau m'assura de son amitié et poussa la gentillesse jusqu'à venir nous reconduire à la Gare centrale — située en plein cœur de la ville, au milieu d'un dédale de galeries souterraines à vocation commerciale.

Toutes les trois, nous aurions l'occasion de nous revoir pour tenter de guérir l'asthme de Célia.

Toutes les trois, nous savions que le meilleur remède aurait été la reprise de fréquentations avec un certain gentleman britannique aux talents et aux identités multiples.

— Vous prenez le train maintenant! feignit de s'étonner la docteure Bilodeau. Je croyais que l'autocar était plus rapide, et son horaire, plus pratique…

— C'est exact, mais nous n'en sommes pas à une minute près. Le confort a aussi son importance. Et puis… tel qu'on le connaît, il préférerait encore le train, pas vrai? Un moyen de transport propice aux belles rencontres!

— Ou, qui sait, aux belles retrouvailles, compléta-t-elle avec un clin d'œil complice.

— De qui parlez-vous donc? demanda Célia.

— De monsieur Oddsong, bien sûr. Notre grand voyageur devant l'Éternel.

Pichounette ne connaissait pas cette expression démodée, j'en étais certaine. Mais elle n'a pas eu besoin d'explications pour la comprendre.

— À bientôt et merci encore, Docteure Bilodeau.

— J'aimerais bien que, toutes les deux, vous m'appeliez par mon prénom. Ce serait plus sympathique!

Ma fille est allée la première lui serrer la main en disant, avec un grand sourire amusé:

— Au plaisir de te revoir, Alice...

**Autoportrait facétieux de
Charles Lutwidge Dodgson**

Table des chapitres